JN110704

日本発シン技術

原 日本

Hara Yamato

青林堂

まえがき

私は若い頃から、自分の興味の赴くまま、さまざまな業界を渡り歩いてきました。ところが三十二歳の時に動脈瘤（りゅう）破裂を起こし、一度あの世に行って、再び戻ってくる、という経験をしました。そしてこの世に戻ってきたら、そこが今まで自分がいた世界と違うことに気づきました。どうやら私は、並行世界に生まれ変わってしまったらしいのです。

そうか、自分は一度死んで、今度は別の世界に呼び出されたのだ。だったらこれからは、自分のためだけでなく、人のため、社会のために動いていこう。一度死んだ身ならば、もう何も惜しくはない。そう考えて行動してきました。ビジネスにしても、慣習やセオリーに縛られることなく、市場や顧客、つまり人々が求めるものを望んでいる形で提供することを第一としてきました。この私のやり方は、既存の業界からは嫌われます。ですが人のためになることをやっているという自負は常にありますし、多くの方々からご賛同をいただいています。

世紀末を超えてすでに四半世紀が経ちますが、世界は未だ混沌としています。そして私は五十代の半ばを過ぎようとしています。私が理想とする世界を、この目で見られるかどうかは分かりませんが、やると決めたからには最後まで突き進む覚悟です。

本書は、私が手がけているものや考えていることごとを、詰め込み植え込んだものです。これらの種子が芽を出し、大輪の花を咲かせ、それによって世界に平和が訪れることを、願ってやみません。

二〇二四年　四月吉日

原　日本

〔目次〕

水素エンジンを、名機ＹＳ－11に
大きな可能性が見えるキャパシタバッテリー
無から有を生み出す大気発電
大気発電の実用化は目の前
金は国外に流出させてはいけない
今も生きているＯＳトロン
炭化炉から生まれる、理想的な建材
廃タイヤから燃料を生み出す
宇宙開発を加速させる軌道エレベーター
アメリカではすでに実現している、反重力エンジン
人々の生活を根底から改善するアステカライト
バイオ肥料をベースに新時代農業を実施
鉱石ミネラルたっぷりのアクティブウォーター
災害時に活躍する、移動式浄水器
水道水よりも軽い水「重水素減少水」

第2章 日本、わが国はいかにあるべきか

第1章

日本発の革新的技術が、世界を変える

日本の技術力の炎は、消えてしまったわけではない

かつては「世界に冠たる」という枕詞とともに語られた日本の技術力ですが、いまやずいぶんと痩せ衰えてしまったように見えます。しかし日本の底力は、この程度で終わるものではありません。一般の人々の目が届かないところで、種子は発芽の時を待ち続けているのです。それらの技術や知見の中には、世界を変えるような大発明もありますし、これまでの常識をひっくり返すイノベーションもあります。そしてそれらは大学の研究室や企業の開発室ばかりでなく、ごくごく一般的な市民の手の中で温められ、世に出る機会を待っているのです。

そうした技術を、私たちもいくつか持っています。その軸となる大気発電は、さまざまな分野に効果を及ぼすだろうと予想しています。エネルギー産業はもちろん、農業や製造業、ＩＴ分野にも影響は大きく及ぶでしょう。

そのため私はまず、私たちの技術を各分野に普及させていくため、分野ごとに十一の組織を作りました。ここでは「協会」と表現しておきますが、この協会を通じて、各分野の企業や関連省庁に働きかけ、私たちのアイデアと技術を世に問うていくつもりです。

なぜわざわざ、そんな面倒なことをしたのか。それは、私たちの技術が革新的であるからです。

世の中を変えるような新技術は、無造作に世に出すべきではありません。それは得てして業界内のパワーバランスを崩し、大手企業の既得権益を失わせるものだからです。たとえば「空飛ぶ車」が実用化され、一般化したら、自動車タイヤは不要になります。タイヤメーカーとしたら面白くないどころか、存亡の危機に立たされてしまいますから、早急に生き残りの道を探さねばなりません。あるいは、自社と業界の既得権益を守るため、何らかの妨害活動に出る可能性もあります（あくまでも「可能性」ですよ）。実際には、もし空飛ぶ車が当たり前になっても、それに付随するいろいろな業種が生まれ、市場ができていきますから、全体としての経済活動が滞ることはありませんし、タイヤメーカーが軒並み倒産する……ということもないと思われます。

いずれにせよ、私たちが用意している各種の技術がすべて形になれば、今のところ人類が必要とし、また求めているもののすべては実現できると考えています。その素晴らしい発明の数々は、もう少し後にご紹介しましょう。

超古代文明が現在に甦る

いろいろな立場から多くの人々が指摘することですが、人間の文明というものは、一本道で緩やかに発展してきたわけではありません。過去には現代以上に高い技術が花開いた時代が、いくつもありました。たとえばそれはアトランティスであり、たとえばそれはシュメールでした。彼らは高度な技術を駆使して、洗練された生活を送っていたはずです。現代から見ると、それはＳＦの世界でしょう。

ＳＦの始祖とされるフランスの作家ジュール・ベルヌは、その作品の中で宇宙に飛び出し、深海で異形（いぎょう）の生物と出会い、暗闇の地中を探索していきます。そうしたアイデアはもしかしたら、超古代文明に残されたかすかな痕跡から得られたインスピレーションだったのでは、と私には思えます。

程度の差はあるものの、ＳＦは現実の科学的知見を下敷きにするもの。ですから作品に登場してから後、実用化されるものも中にはあります。核融合、レーザー光線、ホログラフディスプレイ。このあたりは、すでに実用化されています。タイムマシンやスターゲート、反重力などを、研究している人は世界中にいますけれども、その実現が公にされたものはありません。ただ私のもとには、こうしたＳＦ的デバイスの設計図が持ち込まれることがあるのです。私にはさっぱり分かりませんから、その道の専門家に見てもらうのですが、しばしばそれは「もしかしたら本物かもしれない」といわれます。ただ、実際にデバイスを作るところまではできたとしても、稼働させるには電力が足りない、というのが常でした。

こうしたデバイスを動かすには、膨大な電力がいる。そこで登場するのが大気発電です。大気発電なら、このデバイスを動かせるだけの大きな電力をスムーズに生み出せます。原子力や化石燃料を消費することなく、ＳＦの世界を実感できる。同時に、超古代文明の人々が操っていた技術が、現代に甦るのです。

日本にも縄文に花開いた古代文明があった！

日本に限って見ても、古代の痕跡として、各地にピラミッドや磐座（いわくら）が残っています。これも古代のエネルギー発生装置ではなかったかと見ることができます。おそらくは縄文時代のものでしょうが、これを私のところのカーボンナノチューブで再構築したら、地脈からのエネルギーを収集・放出することで、空中送電が可能になるのではないかと思っています。かの天才科学者ニコラ・テスラが、ウォーデンクリフ・タワーで実現しようとしてできなかった電波通信・送電システム「世界システム」が、実現できる可能性が見えてきます。

古代の遺物の数々を見ていると、現代人の常識から外れたものにしばしば出くわします。たとえば縄文時代の火焔型土器は、炎をかたどった土器として知られていますが、これは電子回路のコンデンサーのように、エネルギーを蓄える機能を持っていたといわれます。土器に充填（じゅうてん）されたエネルギーが地中に放出されて植物を育てたり、別の土器を上に載せて料理を作ったり。つまり、土器そのものが炎の役割を果たしていた、というわけです。

　ちなみに、あの土器に入れた物は腐らないといわれていますね。同様の機能は、黒曜石にもあります。黒曜石を火で炙（あぶ）って、冷ましてから瓶の中に入れ、そこに水を注いでおくと、水が腐らない。これは昔の船乗りがやっていた水の保存法です。この方法をある企業が再現したところ、確かに水が腐らないんですね。

　こうしたことは技術というよりも、自然の力を利用する知恵に分類されるものですが、「天磐船（あまのいわふね）」となると、まさに古代の超テクノロジーです。

　天磐船は、日本人の祖先である天祖が、高天原から下界に降臨する際に使った岩の船です。まさに反重力エンジンを使った移動手段といえます。この天磐船を祀った神社は複数あるのですが、天磐船の秘密を探りたいならば「まず琵琶湖をちゃんと調査するように」という啓示が、宇宙生命からありました。琵琶湖の底には四世代前の文明が、まだ誰の目にも触れることなく静かに残されているそうです。なんとも夢のある話ですよね。

私たちは現代人こそが、最先端の技術と知識を持ち、それを駆使していると思っていますが、それは大きな間違いです。現代以上に進んだ知識と見識、失われた超技術を持つ文明は、過去にいくつも存在しました。現代人など及びもつかない技術や知識は、過去にいくらでもあったのです。そして現代の世界で、そうした過去の超技術の一端が見つかる。そうした過去の遺物に触れたなら、現代の尺度でそれを解釈するのではなく、白紙の状態から素直に調査し、検証していくべきです。そうすることで古代の英知を読み解き、進化の糧にすることができると思います。

科学がなかった時代の技術とは

科学がまだ未発達だった時代でも、私たちの祖先はたくましく生きていました。食事を作るにしても、現代ではガスコンロで簡単に煮炊きができますが、つい百年ほど前までは、自宅で薪を割って火を点けて、ということを、どこの家でも当たり前のようにしていたのです。

では、さらに昔の世界では、どのように生活していたのでしょう？　それこそ文字もなければ言葉もない、そんな中でどのように意思疎通を図り、家族や共同体の中で暮らしていたのでしょうか？　このあたりになると、もう記録はもちろん生活の痕跡そのものが乏しく、わずかな手がかりから想像していくしかありません。ですが言葉も文字もない環境だからこそ、身振り手振りでのコミュニケーションで十分だったのかもしれません。あるいは意思伝達の手段として、テレパシーが使われていたのかもしれません。確かにテレパシーであれば、道具を使うこともありませんから、その痕跡が後世に残るはずもないでしょう。

ただ不思議なのは、過去、高度な文明が栄えた痕跡がいくつも現代に残されていることです。先ほどお話ししたアトランティスやシュメールなどの文明もそうですが、インダス文明の都市であるモヘンジョダロも、そこに含まれるでしょう。

モヘンジョダロは、最大で四万人ほどの人々が生活していた痕跡が見られるといいますが、突然、歴史の上から消えてしまいました。なぜ突然廃墟と化してしまったのか、まったく分かっていません。大規模な洪水のためではないかという説がありますが、一方で高温にさらされて溶けたガラス片が見つかっていて、古代核戦争が起こったのだという説もあります。

トルコのカッパドキアも同様です。尖塔のように立ち並ぶ奇岩の景観で知られますが、その中には石灰岩を掘って地下八階から十階の深さにまで達している、巨大な地下都市があるのです。地下深く作られていることと、その規模の大きさは、他の岩窟住居とは明らかに異なります。内部はいくつもの空間が狭い通路で結ばれ、生活の場だけでなく換気孔まで整えられた、迷路のような造りになっています。

カッパドキアの景観は、二つの火山が立て続けに噴火し、火山灰と溶岩が積み重なったものが、長い年月のうちに浸食されてできたものだといわれますが、そんな説を疑いたくなるような奇観です。伝え聞くところでは、当地には残留放射線が見られるそうで、それなら間違いなく核戦争の跡だろうとも思えます。

このように、私たちが知っている歴史の流れとはまったくかけ離れた高度な文明は、過去にあったのです。ただ、その高度な文明を持つ人々がどこからやってきて、なぜ忽然と姿を消してしまったのか、それを確かめるすべはありません。

ですからここから先は想像ですが、おそらく文明がどんどん進歩していった結果、技術や経済の格差が広がり、人間が愚かになって、宇宙生命によって潰されたのではないか、というストーリーもあり得ます。外惑星人やアヌンナキが、自らのDNAを注入して高度な人間を作ったけれど、やはり道を誤ってしまった。そのためリセットボタンを押されてしまった。それがノアの大洪水であったり、古代核戦争であったりしたのでしょう。私には、そう思えてなりません。

まずは意識のリセットが必要

反重力については、すでにアメリカで実用化されているはずです。アメリカ製ＵＦＯなどといわれたＴＲ３－Ｂアストラなども、こうした超古代文明にヒントを得た、反重力技術が組み込まれているのでしょう。巨石を積み上げるピラミッドは、世界各国で見ることができますが、これも超古代文明による反重力技術の応用です。

そもそもピラミッドは地球の潜在的なエネルギーを収集し、貯めておく回路です。これは世界中の人々が指摘するところです。

こんなことを言うと、必ず「それは疑似科学だ」として排除しようとする勢力が攻撃してくるものです。私自身はまったく気にせず、黙殺することにしていますが、中には攻撃に耐えられず、口をつぐんでしまう人も少なくありません。ですが科学者が言っているからそれが正しい事実で、漫画家やＳＦ作家が言っていることは絵空事の妄想だと言わんばかりの切り分けこそが、人間の想像力を縛り付け、可能性の自由な探求というアプローチを抑え込んでしまいます。

大学の研究職に就いていなくても、地道な活動を続けている研究者は世界中にいますし、素人考えのアイデアをきっかけに、大きな謎が解明されることも現実にあります。また天動説と地動説を持ち出すまでもなく、それまで科学的常識とされてきたことが、まったくの誤りだったという例は、挙げればきりがありません。

ですから「専門の科学者が否定しているから、間違いないんだ」という思い込みを、意識の中からまず外しておくことです。あなた自身の意識を、リセットしておくことです。ＳＦ的なさまざまな技術は、超古代文明の遺産であるかもしれないし、隠された軍事的な機密かもしれません。あるいは神話や伝説に登場する巨人や超人、宇宙人の痕跡かもしれないのです。そしてそれらは、決して「実現不可能なもの、実在しないもの」とは限りません。このことを、まずしっかりと覚えておいてください。そうでないと、これから私がお話しする数々の技術、数々のアイテムの存在を容易には信じられず、そこから得られる恩恵を、つかみ損ねてしまうからです。

マンガやアニメから、新たな技術が生まれる

発明というのは、「既存の技術をどう使うか」というアプローチで進めていくやり方と、「どんなものが欲しいのか」という、ニーズからアプローチしていく方法があります。前者は、すでにできあがっている技術をどのような製品に組み合わせるかという点がポイントになりますので、発明としてはやりやすい手法かもしれません。

ですが後者のケースは「ニーズ発」の発明です。「こんなものが欲しい」を出発点に、それを実現するための技術を探し、なければ新たに開発していくという、難度の高いアプローチです。いってみれば、マンガやアニメの世界のアイテムを、現実化していく作業です。

これはまさに、日本が世界に誇る名作マンガ「ドラえもん」です。あったらいいな、できたらいいな……。ドラえもんの世界は、年齢や性別、国籍を問わず、多くの人々の夢と希望が詰まった世界です。そのアイテムの実現のために研究に打ち込む人がいて、さらに必要な資金を投入することができれば、みんなが欲しかったものができあがるのです。

もちろん、科学的な検証は欠かせません。たとえばタケコプターは、頭に取り付けるプロペラですが、あれでは「空を飛ぶどころか首が折れてしまう」といわれます。じゃあ単一のプロペラではなく二重反転プロペラにしたらどうか。いや、それでもダメだ。だったらいっそ、反重力エンジンだろう。これなら、体に応力がかからない……。

こうした検討や検証を重ね、試験や実験を繰り返していけば、欲しかったものができあがっていきます。マンガやアニメの世界のアイテムが、それを支える技術とともに現実世界に現れるのです。

フィギュアやプラモが実物になる

東京の湾岸地区に実物大のガンダムが登場し、さらにそれが動くようになって、アニメファンの間で大きな話題になりました。今も「ユニコーンガンダム」が展示されているはずです。ですがさまざまな新技術を組み合わせれば、アニメやマンガの中のアイテムやキャラを現実化することは、決して不可能ではありません。

たとえばモビルスーツ。ガンダムを造る場合を考えてみましょう。まず本体各部の駆動には超伝導コイルを使います。これはリニアモーターカーに使われるもので、コストは高いながら、すでに実用化されているものです。操縦者はヘルメット状のヘッドギアを装着し、操縦系統はカーボンナノチューブを使えば、操作信号を瞬時に伝送できます。脳波を精密にキャッチできるセンサーを組み込めば、思考がそのままガンダム本体に伝わりますし、Ｗｉ－Ｆｉ経由で司令室のモニター端末に送ることもできます。アニメとまったく同じことができる、というわけです。

技術的なことでいえば、これができる重工業企業は、いくつも挙げられます。また大学や研究所にいる若い人たちの中にも、「ぜひやりたい」という人はたくさんいます。ただそこでネックになるのが、予算です。実際にガンダムを造ろうということになったら、予算は二桁億円ですし、それでどれほど利益を取れるかも分からないのですから、民間企業には手が出せないでしょう。だから私たちが持っている技術を製品化し、その利益が出たところで、こうした遊びのようなプロジェクトに投資していこうと思っています。モビルスーツを作って、何の役に立つのかと眉をひそめる人も多いと思いますが、私たちがこうしたビジョンを描くのは、それが単純に面白いからです。

また、私が関わっているあるチームのスタッフは、「カーボンナノチューブを使って航空自衛隊の戦闘機を作り直したら、『バルキリー』ができますよ」と言っていました。バルキリーというのは北欧神話に登場する女性の半神で、アニメ「マクロスシリーズ」に登場する戦闘機のニックネームです。飛行形態と、人型の戦闘形態に変形します。ドイツ語読みすると「ワルキューレ」ですね。

アニメ上のバルキリーは、プラモデルや変形玩具として商品化され、なかなかの人気だったそうです。聞いた話では、このバルキリーに興味を持った米軍関係者が、資料を日本から取り寄せ、その構造や動きを検証してみたそうです。ですが地球の重力下では、この構造は金属強度がもたない、という結論だったといいます。

しかしカーボンナノチューブなら、強度はスチールの二十倍、密度はアルミの半分です。バルキリーの素材としては大いに有望です。

これまで、フィギュアやプラモで楽しんでいたあの機体が、実物になって現れる世界が、すでにやって来ているのです。

日本のスーパーテクノロジーが地球を救う

このところ「二〇二五年七月、地球に小惑星が衝突する」という話が、あちこちで飛び交っています。まるで世紀末に大騒ぎになった、ノストラダムスの大予言のようですが、こちらはＮＡＳＡを絡めた情報として流れているだけに、多くの人々から信憑性（しんぴょうせい）が高いと見られているようです。

実際に地球への衝突コースで小惑星が飛来したら、どんな対処法があるのか。いちばん有効なのは、おそらくレールガンでしょう。

レールガンはＳＦやアニメでよく知られていますが、名称通り砲の一種です。多くの砲は火薬の燃焼エネルギーで砲弾を射出しますが、レールガンの動力源は電磁力です。砲身にセットした複数の電極によって磁場を作り、その電磁気力によって砲弾を急速に加速して射出します。

火薬を使わないため安全で、しかも電力で稼働するため、その威力を容易にコントロールできます。発射する砲弾は火薬を使用する砲と比べて超音速で発射されますから、射程が長く、しかも威力が増大します。ミサイルなどと比べても、砲弾をはるかに安価に製造できますから、ランニングコストの点でも有利です。唯一の難点は、高威力の砲にするためには、膨大な電力が必要になる、ということです。ですがこれも、大気発電で十分に賄える範囲です。

すでに日本の防衛装備庁は、二〇二三年十月、世界初となるレールガンの洋上射撃試験を実施しました。ですからキャパシタバッテリーを作り、大気発電を実用化すれば、それをレールガンと組み合わせることで、日本は強力な砲を手にすることになります。

「そんな面倒なことをしなくても、小惑星に核ミサイルでも撃ち込めばいいじゃないか」と考える人も多いかもしれません。ですが核ミサイルが威力を発揮するのは、あくまで大気圏の中だけです。大気のない宇宙空間で核を使っても、核物質の放射反応が出るだけで、さしたる破壊力はないと思います。

九〇年代の終わり頃に『アルマゲドン』という映画がありました。地球との衝突コースを進んでくる小惑星に油田掘削チームが乗り込み、小惑星の地下深くに核爆弾を仕込んで爆発させ、小惑星そのものを破壊する……という筋書きです。確かに小惑星の地下で核爆発を起こせば、それも可能かもしれません。ですが大気のない地表で核爆発を起こしても、あまりダメージを与えることはできないでしょう。それよりも、レールガンのほうがはるかに効果的です。

キャパシタバッテリーと大気発電が間に合えば、その二〇二五年の危機に際しては、民間では私たちが、公的機関ではＪＡＸＡが、連携して事に当たることになるでしょう。それに間に合うよう、急ピッチで開発・製造を進めていかなくてはなりません。うまく間に合えば、日本のスーパーテクノロジーが地球を救うことになるはずです。

いつまでも宇宙生命に頼ってはいられない

もう十年くらい前でしょうか、小惑星が隕石となって、ロシアに落下したことがありました。この時は静止画だけでなく、車のドライブレコーダーなどによる動画が多く撮影され、落下直後からＳＮＳで世界中に配信されました。

この動画を見ると、とてつもない速度で落下してくる隕石が落下途中で爆発・分裂する様子が明確に見てとれます。その後の発表では爆発は高度二十数キロの上空とされているようです。この爆発によって隕石がそのまま地表を直撃する事態を避けられ、大災害を免れることができたのです。

もちろん地上の損害はゼロではありませんでしたが、衝撃波による窓ガラスの破壊、建物の損壊程度に留まったのは、奇跡的な幸運といえるでしょう。

ですがこの隕石墜落を撮影した動画を見ると、光り輝きながら落下していく隕石に追随するかのように移動している飛行体の姿が見えるのです。これは明らかに、宇宙生命による行為でしょう。

地球の長い歴史を紐解いていくと、隕石落下によると見られる大きな環境の変化、それによる生態系の激変は、何度も起こっています。繁栄を極めた恐竜の絶滅も、隕石落下によるものだという説もあります。そうした破滅的状況を避けるため、宇宙生命が隕石を追跡し、レールガンのような兵器で破壊してくれたのでしょう。もしこうした介入がないまま、隕石が墜落していたならロシアだけでなく、周辺地域にも大きな被害が出ていたはずですし、それは地球全体の環境にも、暗い影を落としていたはずです。

ですが、あまり安穏としているわけにもいきません。現在の地球は今も、経済格差や差別、国家間の争いに包まれています。この状況を見て、宇宙生命はやがて「人類は救済するに値しない」と判断するかもしれません。むしろ逆に「近々、地球に隕石が衝突するようだから、これを機会に地球生命をリセットしよう」と考えるかもしれないのです。そうなったら、このロシアの隕石の時のような助け船を、宇宙生命が出してくれるとは思えません。

だから私は言いたいのです。せめて日本から人間としての理性や人間性を回復し、同時に潜在的な技術力を発揮して、日本という国を高め、ひいては世界の幸福に資するべきだと。

今の日本の政府はやりたい放題やってきて、もう末期かもしれません。それならば科学技術だけでなく、政治も私たちがリードし、新たな時代を作っていかねばならないと思っています。宇宙生命の温情と助けに、いつまでも頼り続けるわけにはいきません。私たちは日本人としてだけではなく、世界市民、地球人としての自覚を持ち、その上で世界を捉え、行動していくべきだと思うのです。

水素エンジンを、名機ＹＳ－11に

ここからは具体的な技術のお話をしていきましょう。まずは水素エンジンからです。水素エンジンは多くの長所を持ったエンジンですが、私はこれを航空機に組み込んでみたいと考えています。

たとえば、ツポレフＴｕ－95ベア。これは一九五〇年代に旧ソ連が開発した戦略爆撃機ですが、実によくできた航空機です。この時代のソ連の航空機には優秀なものが多いのですが、ベアは間違いなくその一角です。強力なエンジンと二重反転プロペラの組み合わせは現代でも通用する実力を持ち、最高速度は九百キロを超える、世界最速のプロペラ機として知られます。

ツポレフTu-95ベア戦略爆撃機

その反転プロペラを日本の旅客機、YS-11に付けたらどうでしょうか。YS-11は零戦を設計した堀越二郎の最高傑作ですし、私の周りには航空機産業に近しい人たちがいます。そうしたメンバーが集まって、私の大気発電のパワーソースを使えば、かなり面白いものができるのではないか。さらに二重反転プロペラに加えて、洗練されたYS-11の機体をさらに細部までモデファイしていけば、かなり面白い機体になるんじゃないか。そうした期待を持っています。

もちろん、エンジンは水素エンジンです。水素エンジンを使うためには、水素タンクが必要ですが、私の水素エンジンは、水素吸着合金をタンクとして使います。水素吸着合金は、その名の通り水素を吸収する合金です。これを極低温まで冷やしていくと、水素を吸い込んでいくようになります。直径三・五センチ、長さ一メートル程度の水素吸着合金で、液体換算で七百から千リットルほどの水素を吸着できます。合金の温度をマイナス二百七十度程度に温めてやれば、合金から水素が自然と出てきますから、かなり効率的なタンクになります。従来の水素タンクは、充填すると内部に七百気圧もの圧力がかかるので、大きな衝撃を受けた際に爆発する可能性があります。ですが水素吸着合金なら、そうした心配はありません。

電気は大気発電でいくらでも作れますし、水素も吸着合金を媒体にすれば、扱いやすくなります。ガソリンスタンドに設備を増設すれば、セルフでガソリンを入れる感覚で水素エンジン車に給油ができる。そんなことができたら、凄いですよね。

日本には世界に誇るスーパーコンピューター「富岳（ふがく）」があるのですから、これを使って、理研や大学の研究室、企業の研究所のようなところで理論と設計を固めてもらい、私のところで実証用の試験機を造る。これを持って機械メーカー各社を回れば、手を挙げるところはいくらでも出てきます。生産拠点になれる企業は四百くらいありますから、どこで作ってもらってもいい。実際にいま、社名は出せないですけれども、ある機械メーカーのOBと「新たに会社を立ち上げて資金を入れて、古巣のメーカーに持ち込もう」というプランを立てています。これが実現すれば、バブル期の比ではない大きな市場が、短期間でできるでしょう。その大きな収益の中から、さらに科学分野への投資に資金を回せば、日本の科学力は一気に伸びていくはずです。

大きな可能性が見えるキャパシタバッテリー

現代ではあらゆる場所で、電力が用いられています。発電した電力をそのまま給電できれば良いのですが、移動体で使う場合には、バッテリーを使うことになります。そしてバッテリーには、充電不可のものと再充電可能なものとがあります。前者は一般的な乾電池であり、後者はスマホなどに使われるリチウム電池です。ですが再充電可能な電池としてはもうひとつ、キャパシタバッテリーを挙げることができます。

キャパシタバッテリーとは、大きなくくりでいえばコンデンサーです。電極の表面に静電気の形で電気を蓄えておき、必要な時にそれを放電する、という仕組みです。電池のように、蓄電・放電する際に化学反応を起こすことがなく、物質の変化を伴わないため、電力を素早く出し入れでき、しかも劣化しにくいという特性を持ちます。これを自動車に搭載したらどうでしょうか？　必要な電力を、ものの三分程度で充電することができます。スマホに組み込めば、フル充電までほんの数秒でしょう。

このキャパシタバッテリーは、現在のバッテリー市場を大きく転換させることもできるのですが、それとは別に、大気発電施設に予備電源装置として併設しておくことで、より効率的な発電運転が可能になるのです。大気発電も、最初のスタート時には自力でタービンを回さなくてはなりません。その駆動電源として、キャパシタバッテリーを使うのです。

また、船舶への応用も考えています。大気発電した電力をバッテリーに蓄電し、それを動力源として船を航走させるのです。その船で海底の希少鉱物を採取し、持ち帰って精錬すれば、それは有用な資源となるでしょう。

これまでは、採取と精錬のためのエネルギーがネックとなって、産業化できなかったのですが、大気発電とキャパシタバッテリーで、ボトルネックを解消する糸口が見えるのです。こうなれば、海洋国家である日本周辺の海洋資源を、さらに有効活用できるのです。

無から有を生み出す大気発電

話が前後しますが、大気発電も革命的な技術といえます。私たちの頭上に広がる大気は、常に大きく動いています。空気は温度が上がると軽くなりますから、地表近くで温められた空気は上昇し、ある程度の高さに達すると急速に冷やされて水滴となり、雲になります。空気の湿度が高いと、この水滴が氷の粒となり、さらに上昇気流にあおられて激しくぶつかり合い、その摩擦によって静電気が蓄積されます。この静電気が放出される現象が、雷です。

雷が一回に放出する電力量は九百ギガワットにも達するといわれますが、放電するのはほんの一瞬で、しかも放電してしまえば、それで終わりです。

この電力を有効活用しようというのが、大気発電です。

大気中の電位差によって雷が発生するメカニズムが解明されてから、多くの科学者がその電力を取り出せないかと研究を重ねてきました。かの天才発明家ニコラ・テスラも、このアイデアに魅せられ、数々の実験を行っています。近年まで、大気中での電気的現象を完全に解明することは非常に困難だといわれていましたが、最近では各国による研究が進み、大気から電力を得るという構想は、決して絵空事ではないということが分かりつつあります。また各家庭や地域に大気発電の装置を設置することで、クリーンで安価なエネルギーを継続的に得られるという未来像が描かれています。

さらに言えば、大気中の放電をとらえ、その電力で水素発電機を回せば、スマートグリッドが使えます。

スマートグリッドとは、電力を供給する発電所側と、その電力を消費する事業所などをＩＴ技術でリンクさせ、電力の需要量に応じて効率良く配電していく仕組みです。すでに海外でも行われていますから、それを日本に持ち込めば、電力不足を大きく補うことができるでしょう。何もないように見える頭上の大気から、電力を取り出すことができるのです。

ただ、日本でこれをやろうとしたら、間違いなく横槍が入るでしょう。電力会社と行政、その周辺組織によって作り上げられた、利権構造があるためです。こういう事情は、世界中どこに行っても変わらないのかもしれませんが、一部の権益者のために、大勢の国民の利益が損なわれるということが、正しいことであるはずがありません。ことに電力というのは、誰もが日常的に利用するものですから、大気発電が普及することで、すべての国民が利益を得られるはずです。

私の試算では、日本の全国民が消費する電力を、大気発電で十分に賄えることが分かっています。大気発電機をおおよそ千六百基作り、四十七都道府県に配置すれば、全国の電力を賄えます。工場などで使う分は、それはそれで別に作れば良いのですから、簡単なことでしょう。電力会社が文句を言うでしょうが、送電施設には各電力会社のものを使わせてもらえば良いのです。定期的なメンテナンスは必要かもしれませんが、すでに減価償却も終わっている施設を使うのですから、文句はないでしょう。

発電施設は、各都道府県の県庁に置けばいい。こうすれば各地で使う電力を地元で賄えます。しかもこの仕組みなら、一ヶ月で一億三千万円の売上が上がるのです、県の財政が潤いますし、さらに国の財政にも貢献します。政府とすれば、国民に支払う金額以上の税収が見込め、国家予算が三倍にも四倍にもなるのです。実践する価値は十分にあると私は思っています。

大気発電の実用化は目の前

大気発電は、世界を変えます。これこそ、日本の技術力をアピールする絶好の機会といえるでしょう。

この大気発電の実現と普及が、私たちが掲げる第一の課題です。大気中から取り出した電力は、大容量のキャパシタという装置に蓄電します。キャパシタは電力を静電気の形で保存できるものですが、バッテリーとは原理や構造が異なります。電子部品にコンデンサーというものがありますが、あれを大容量にしたもの、と捉えると良いでしょう。ここから先は詳しくお話しできないのですが、われわれが作っているカーボンナノチューブを活用することを考えています。カーボンナノチューブそのものは、二酸化炭素から生産するという特許技術を持っていますので、原料は無尽蔵といって良いでしょう。とはいえ、空気中から二酸化炭素を分離して……というわけではなく、純度の高い医療用二酸化炭素を使います。

またキャパシタというのは充電と放電ができるのですが、スマホや車のバッテリーと異なるのは、放電が一気に行われる、という点です。必要なだけ電力を取り出していく、ということができません。一気に放電してしまうのです。ですがそこを改良し、必要な電力を小出しに放電する技術を、われわれが開発しました。これも特許技術ですので、詳しいお話はできませんが、カーボンナノチューブ、キャパシタの放電制御、この二つを組み合わせることで放電特性という大きなハードルを乗り越え、大気発電に適したキャパシタバッテリーができあがるというわけです。

最初にこの話が動き出してから、もう四年になります。某大学内に研究部門を置き、すでに技術はできあがっていますから、あとは製造のための資金だけです。現状、企業からの資金提供と、インド、マレーシアなどからの投資の話も出ていますので、もう少しですね。機器の製造だけで一億四千万円程度かかりますが、おおよそ半分程度は、資金の目処がついています。

この大気発電装置一式ができあがったら、ユーチューブあたりで公開するつもりです。そうすれば、世界中から引きがかかるでしょう。使いたい国があれば、どんどん使ってもらえばいい。そうすれば、既得権益の奪い合いに始まる争いがなくなり、私が理想とする平和な世界が生まれます。

また大気発電による大電力を確保できれば、進行中のその他の研究も、一気に加速します。原理も構造もできてはいるが、稼働させるには大電力が必要……という数々の発明品が、大気発電によってようやく日の目を見るのです。今から楽しみで仕方ありません。

金は国外に流出させてはいけない

大気発電では、電力だけでなく多くの副産物が得られます。これを海洋開発に転用すると、海の資源を回収することもできます。

第一に挙げられるのは海底熱水鉱床ですね。海底に眠っている、有用な元素を含む鉱物資源です。二年ほど前、小笠原諸島の南鳥島沖の海底で、レアアースを含んだ泥が発見されました。採取するのが難しいといわれていますが、日本の技術をもってすれば、できないことはないでしょう。

また海洋資源といえば、金……カネでなくてゴールドがあります。大気発電の技術を応用することで、海中から金を取り出すことができるのです。

これが実用化されれば、日本は世界有数の金保有国になるでしょう。

金はこの数年でずいぶんと値上がりしていますが、基本的に価格が安定していますから、国の財産として保有しておくだけで、経済的安定性に大きく寄与してくれます。ドルにつられてふらふらしがちな円の価値も、ずいぶん安定してくるかもしれません。

ただこの金を、国外に流出させてはいけません。将来的に、地球外との商取引が行われるようになったら、地球の金には非常に高い価値が認められるためです。その時のために、金の保有量は下げないようにしておきたいところです。

「地球外との商取引」と言われても、何のことやら分からないかもしれませんが、この宇宙生命との関わりについては、関連する話題とともに、あらためてお話しします。

今も生きているＯＳトロン

日本で「インターネット」が騒がれ始めたのは、二〇〇〇年頃だったでしょうか。それからパソコンブームがやって来て、エアコンや炊飯器などの家電製品にもコンピューターが組み込まれ、スマホが登場してきました。世帯当たりの保有率を見ると、パソコンが約70％、スマホにいたっては約97％と、誰でもコンピューターを持っている時代になっています。

さて、そのコンピューターですが、実際に動かすためには、基本となるソフトウェアが必要です。いわゆるオペレーションシステム、「ＯＳ」というものです。パソコンであればウィンドウズかマックＯＳ、スマホならアンドロイドかｉＯＳかというところですが、コンピューターのＯＳは、他にも多くの種類があります。そのうちのひとつに、純日本製のＯＳ「トロン」があります。

トロンは一九八〇年代の半ばから、東京大学の坂村健氏が中心になって研究開発が進められてきたＯＳで、家電などに組み込むものやパソコンの基本ソフトとして使えるもの、さらにそれらを統合するものなど、いくつかの種類がリリースされています。実際に、私たちの身近にある炊飯器や洗濯機、カメラやゲーム機などの多くに、トロンが組み込まれていますし、小惑星探査機「はやぶさ２」の制御システムにも、トロン系ＯＳが使われています。

これをもっと、幅広い範囲で使っていけば良いと思うのです。パソコンやスマホにも組み込み、ハードウェアからソフトウェアまでを国産にすれば、日本の製造業は再び息を吹き返すことができるのではないでしょうか。

炭化炉から生まれる、理想的な建材

炭化炉とは、文字通り物質を炭にする装置です。広く使われている焼却炉は、燃焼のために空気を供給するため、大量の二酸化炭素が発生しますが、炭化炉は空気を遮断するため、二酸化炭素を発生させません。また、炭化した炭は資源として再活用できるというのも、優れたポイントです。家庭ゴミでも産廃でも、片っ端から炭化してしまえば、新たな原料としてリサイクルできます。

さらに、私が作った炭化炉は一般的なものと異なり、空気を取り入れながら炭化させます。傷んだ食品のような水気のあるものでも炭化でき、さして時間もかかりません。古着や木材なら七分くらいで炭化します。できあがるのはまさに炭化物、炭そのものです。ニオイや有害なガスを吸着したり、マイナスイオンを発生させたり、炭が持つ機能はすべて備えています。あえて言うなら、セラミックでコーティングされた炭、といえるでしょうか。バーナーの炎であぶると真っ赤に焼けますが、炎を遠ざけるとすぐに真っ黒い炭に戻ります。断熱・防音効果もありますから、建材に利用できます。

古代ローマ帝国では、セメントと火山灰で作られた「ローマンコンクリート」という建材が使われていました。当時の建築物には鉄筋が使われていませんから、曲げや引っ張りの力には弱いのですが、コンクリートとしての強度は高く、その寿命は数千年にも及ぶといわれます。

それにならって、私たちの炭をブレンドしたコンクリートを作り、鉄筋の代わりにカーボンを使えば、曲げや引っ張りに強く、しかも数千年の寿命を持つ建築物が作れます。現代の鉄筋入りコンクリートは、鉄筋が二酸化炭素によって腐食していくため、せいぜい百年ほどの寿命しかありません。またカーボンは錆びるということがありませんから、海洋都市の構築にも使うことができます。

ゴミや廃棄物のリサイクルで、こんな素晴らしい建材ができるのです。

廃タイヤから燃料を生み出す

リサイクルの話が出たので、廃タイヤのことにも触れておきましょう。廃タイヤを処分するには、埋め立てるしかないと思っている方が多いかもしれません。ですが実は、そのほとんどが再利用されているのです。そのうち最も多い用途が、チップにして燃料に使う、というもの。細かく裁断した状態にした「タイヤチップ」は発熱量が大きいため、優秀な燃料として使われています。石炭に混ぜてボイラーで燃やすと、有毒ガスの発生も少ないことから、重宝されているようです。

ですがそんなに発熱量が大きいなら、オイルとして精製できるのではないか。そうすれば燃焼後のゴミを出すこともなく、より優秀な燃料が作れるのではないか。そうしたところからスタートしたのが、廃タイヤのオイル化です。

オイル化の技術そのものは、私たちのオリジナルではありません。ただ現在の一般的な技術では、精度が十分ではなく、燃料としてはあまり使えない……というのが正直なところです。ですが私たちのオイルは燃料として十分に使えるレベルに精製されていますから、世界に対してイニシアチブを取れるでしょう。

宇宙開発を加速させる軌道エレベーター

地球の静止軌道……つまり静止衛星を設置する軌道ですが、この静止軌道を超えた高さまで伸びるのが、軌道エレベーターです。ロケットを飛ばすことなく宇宙空間に出られますから、宇宙開発においては大きな武器になります。またカーボンナノチューブが発見され、素材として有望視されるようになってからというもの、現在の技術レベルでも実現可能と見られていることから、日本やアメリカで軌道エレベーターの研究開発が行われ、設計が進められています。これは公の機関や大学だけでなく、民間の企業も積極的です。日本では大林組が宇宙エレベーターの研究で知られています。

軌道エレベーターが実現できれば、物資を宇宙空間に持ち上げて、そこで宇宙船の組み立てができます。宇宙空間なら重力の制約を受けませんし、私たちのカーボンナノチューブを使えば、より軽量で強靱な大型船を作れます。

また宇宙開発でいえば、人工重力ですね。これは鹿島建設が研究開発を進めています。月や火星に移住した場合に、地球上と同じ感覚で活動できる環境を作るためのものですが、その技術を応用すれば反重力エンジンを作れるはずだと考えています。これがあれば、軌道エレベーターは不要ということになりますから、どちらが早いか……というところでしょう。

反重力エンジンは宇宙開発だけでなく、日常生活にも大きく関連します。まず航空機の墜落がなくなりますし、高所からの落下事故がなくなりますから、さまざまな分野で安全性を高めることができるでしょう。ただし開発はもちろん、小型化や製造コストの問題など、解決しなくてはならない課題は山積していますが。

アメリカではすでに実現している、反重力エンジン

前項でお話しした反重力エンジンについて、もう少しお話ししておきましょう。

反重力エンジンは現在、二つのチームが開発に携わっています。もともと別のところで研究していたグループが、私のところに話を持ち込んだのです。彼らは純粋に「技術を世の中のために使いたい」と考えており、特許によるロイヤルティなどはまったく考えていません。むしろそうした主張を手放すことで、画期的な技術を広く普及させたいと考えています。ただ、資本主義・経済優先の世界では、このような意思を託せる協業者は、

まずいません。あちこち探し回ったあげく、「この人物なら託せる」と、私のところに来てくれたのです。

そこまで言われては、受けないわけにはいきません。

反重力エンジンに技術的な興味を持つ人は、日本に数多くいます。そうした方々を集めて大学にラボを構え、そこで研究を進めることにしました。あとは私たちが資金を調達・提供し、研究開発をどんどん進めていくのです。反重力エンジンが実用化すれば、世の中が大きく変わります。その変貌ぶりは、産業革命の比ではありません。おそらく、一気に六百年分くらいの進化を遂げる、それほどの衝撃的な結果を生むはずです。

ここであらためてご説明すると、反重力エンジンは重力を制御する技術です。重力は、地球の万有引力により引き寄せる力と、地球の自転による遠心力を合わせたもので、地表でのその力は約九・八Gとされています。この重力を制御することで、物体を空中に浮かせたり降ろしたりするのが反重力エンジンです。アメリカでは長く研究が続けられていて、一九四〇年代の後半には核融合のエネルギーで強力な磁場を作り、それで二トンの重量物を持ち上げたそうです。これがおそらく地球製の最初のＵＦＯですが、この時は放射能漏れをはじめ大小多くの事故が起こり、現場ではたいへんなことになっていたようです。

この頃のアメリカは軍主導で、原子力爆撃機の研究などもしていたのですが、原子力に代わる安全な航空動力として、反重力エンジンに期待を寄せていたのでしょう。ここから開発されてきた反重力エンジンを搭載していると見られているのが、アメリカ製ＵＦＯであるＴＲ３－Ｂアストラです。

アストラは三角形の機体を持ち、プラズマ推進エンジンを四基搭載。超伝導コイルで強力な磁力線を発生させ、空気中の原子をイオン化します。このそれをエンジン排気口から加速放出することで、推力を得ています。このエンジンを稼働させるには大量の電力が必要ですが、それは超小型の原子

2022年、パサディナ上空を飛ぶB-2

力エンジンと、同じく超小型の蒸気タービンによって賄われているといわれます。また、このタービンによる回転力を使ってヘリウムガスを液体化し、電磁コイルを超伝導状態に保ちます。機体の最高速度は、マッハ十を超えるとも推測されています。

ところで、アメリカ空軍には「B－2」という戦略爆撃機があります。

尾翼がなく、全翼機と呼ばれる三角形の特徴的なシルエットなので、画像を見ればたいていの人が「ああ、これか！」と思い当たる航空機です。この爆撃機はステルス性が高く高性能なのですが、一説には一機約二千億円といわれるほど高価なため、当初予定の六分の一程度の機数しか生産されませんでした。

ＴＲ３－Ｂアストラは、このＢ－２とシルエットが似ているため、「ＴＲ３－Ｂアストラの存在をカモフラージュするために、Ｂ－２が生産・運用された」という見方もあるほどです。テスト飛行などでＴＲ３－Ｂアストラの姿が人目に触れても、「それはＢ－２です」と言い訳ができる、というわけです。ＴＲ３－Ｂアストラはアメリカ航空宇宙局（ＮＡＳＡ）、Ｂ－２はアメリカ空軍の管轄ですが、宇宙軍事活動については、両者は密に連携して研究開発を進めているはずです。ちなみにアメリカ軍内では、太平洋西部からインド洋を担当する第七艦隊が、独立艦隊として宇宙軍事を担当しているそうです。

人々の生活を根底から改善するアステカライト

ＬＥＤを使ったアステカライトは、太陽の代用になるライトです。太陽光線と同じ波長を出せますが、有害な紫外線部分だけをカットしています。ですから常に太陽に照らされているような、自然な光を照射することができます。エネルギー効率が高く、冷却機能が高いことから、発熱しにくく、長寿命であることも大きなメリットです。

また農業に転用すれば、室内でも野菜や果物の生産ができます。大きな倉庫を一大農園に変貌させることができますし、地下でも野菜の生産ができます。先ほどの軌道エレベーターとともに、宇宙空間で新鮮な野菜を育てて食べる、ということも可能です。もちろん、このライトで育った野菜や果物は、食べても害はありません。太陽の下で育った作物と同様、多くのビタミン、ミネラルが含まれています。畑で育った天然のものと、何も変わるところはありません。むしろ天候や日照時間に関係なく、太陽光線を当てられるのですから、通常の農法よりも効率が高いといえます。

アステカライトに近いものは、すでに「倉庫農園」などで使われています。ですが現在使われているものは、製品そのものが高価です。それに比べてアステカライトは、構造がシンプルですし、はるかに安価で製造できます。特別な技術を使っているわけでもありません。

ただ、これが一般に広く普及すると、農業関係の既得権益にも関わってきますから、どこと組んで生産するかというところが問題です。

イノベーションを起こす技術や商品は、その生産者なり考案者なりが、大きな利益を求めます。ですがそうすると販売価格が高額になり、気軽に購入することができません。せっかく人の生活を便利に、豊かにしてくれる製品が誕生しても、多くの人々の手に渡らないのでは、その価値を存分に発揮することができません。私はそこが、気がかりなのです。

アステカライトは、野菜が収穫できない地域を、穀倉地帯に変貌させるだけのポテンシャルを秘めています。それはその地域の人々の生活を、根底から改善する力を持ちます。また、近年になって激しさを増す異常気象を乗り越え、日本が生き残っていくために、必要なものだとも思っています。だからこそ私は、目先の利益に左右されず、人々の暮らしに貢献する志を持つ人、そうした企業とともに、プロジェクトを進めていきたいのです。

バイオ肥料をベースに新時代農業を実施

農業関連でいえば、私たちはヨードを原料にした肥料を作っています。ヨードは昆布やわかめ、海苔などの海藻に多く含まれるミネラルで、日本ではいくらでも採れます。またヨードは甲状腺ホルモンの生成に深く関わっていて、医療用としても広く使われています。人が生きていく上で不可欠のミネラルですから、各種のサプリや栄養食品に含まれていることも多いものです。

このヨードをベースに、フルボ酸やフミン酸を加えて作ったバイオ肥料は、植物の育成を強く後押ししてくれます。化学的な処理や薬品を追加するということをしていませんので、体にも安全です。また「これだけ植物が育つなら……」と、薄毛に悩む人が頭に塗ったところ、髪が太くなったという話がありました。さすがに髪が生えてくることはなかったそうですが、薄毛に悩む方には朗報かもしれません。

話を農業に戻しますと、まず空気中の水蒸気から純度の高い水を採取して、そこに鉱石から取ったミネラルを加えます。そこにこの肥料を加えると、水耕栽培に適した水ができあがります。化学的なものは何一つ加えていませんから、まさに有機栽培です。そこにアステカライトで人工太陽光を当てれば、倉庫でも地下でも農業ができます。気温や日照時間はすべてコントロールできますし、台風の心配もありません。このシステムを使うと、一般的な水耕栽培の三倍から四倍の収量が、しかも安定的に期待できますから、ビジネスとして十分に成立します。

大規模な農場を作るとなると、それなりのコストがかかりますから、しばらく話が止まっていたのですが、資金の目処もつきましたので、基礎となる部分から作っていこう、ということになりました。食糧難の国には、このシステムを輸出する、あるいはリースするというやり方もできるでしょう。ただ諸外国の中には、よその国の技術や発明を、のうのうと盗用する国もあります。そうした国には、ご遠慮いただくしかありませんが。

鉱石ミネラルたっぷりのアクティブウォーター

前項でお話しした水耕栽培用水のベースになるのが、このアクティブウォーターです。大気発電によって副産物的に採れる水蒸気から取り出した純度の高い水に、三種類の鉱石から採取したミネラルをブレンドして作ります。飲用にするにはミネラルの濃度が高いので、一万倍に希釈して使います。また消毒用としても使えますが、その場合は千倍希釈で大丈夫です。二十リットル缶がひとつあれば、二十万リットルの飲用水、あるいは二万リットルの消毒液が作れる、というわけです。

消毒用を想定して試験を行ったところ、インフルエンザウイルスを九九・九八八％まで不活化できました。コロナウイルスは検体を入手できなかったので試していませんが、同等程度の効果はあるのだろうと考えています。

また消毒用に希釈したものでも、飲んで害になることはありません。ただ酸性が強く、そのままでは強い酸味があるので、酸っぱいものが苦手な人にはおすすめできませんね。お酒を飲む方なら、レモンサワーに一滴垂らすと良いかもしれません。悪酔いしにくくなりますし、二日酔いを防ぐ効果もあります。炊飯の際に少し垂らすだけで美味しいご飯が炊けますし、翌日になってもご飯が臭くなったりしません。寝る前にこの水で口をゆすげば、翌朝、口の中がネバつくようなこともありません。

このアクティブウォーターを飲むと、体内の代謝が高まります。そのためトイレが近くなり、夏場ならかなり大量の汗をかきます。腸内環境が整えられるためか、やがて大小便のニオイが抑えられていきます。ペットの飲料水に少しだけ混ぜると、ペット臭を消すこともできます。つまりは高いデトックス効果が見込めるというわけで、これを飲みながら温泉入浴や岩盤浴をすれば、排毒効果が高まるかもしれません。

というより、日本人には入浴の習慣があり、日常的にデトックスを行っていることになりますが、この水を組み合わせたらさらに効果的だと考え、アクティブウォーターを使った温浴施設……スーパー銭湯のようなものを立ち上げることも想定しています。ミネラルたっぷりのお湯に浸かって、さらにそこに波動を流していけば、細胞レベルでの組織の入れ換えが促進され、一般的な温浴以上のスッキリ感が得られるのではないでしょうか。

農業用に使う場合は原液のままで良く、こちらは「アグリウォーター」という名称で販売しています。これは果物に使われている農薬、それも果実に含まれている残留農薬を、除去する作用があります。アグリウォーターは、海外の果実農園で実際に使われています。果物を輸入する場合、国によっては残留農薬の基準が厳しいものですが、この水を使うことで、残留農薬を除去できるのです。これは食品ロスの抑制にもつながります。ただし酸度が高いので、金属などは少し触れただけで酸化してしまい、ボロボロになってしまいますから、扱いには少々の注意が必要です。

喫煙者であれば体内のニコチンを排出できるでしょうし、各種の薬やワクチンとして体に取り込んだ毒素を、尿と一緒に抜くこともできるはずです。逆にいえば、何らかの薬を常用している方は、薬の効きが悪くなりますから要注意です。

何にせよ、水は生物にとって生きるために欠かせないものです。そしてその水がどのような性質を持ち、どのような微量成分が含まれているかによって、私たちの体に与える影響が変わってきます。それだけに、水を選ぶことは日々の暮らしの中できわめて重要なことであり、だからこそ健康に資する水を提供していきたいと考えています。

災害時に活躍する、移動式浄水器

アクティブウォーターを使えば、汚れた川の水を浄化することもできます。その作用を応用したものが、移動式の浄水器です。持ち運びできるサイズのコンテナの中に、プラスティックのチップを入れておき、外から川や湖の水を流し込みます。するとコンテナ内部で水が浄化されると同時に、プラスティックチップがボトルの形にブロー成形され、その中に浄化水が詰め込まれて出てくる、というものです。

大きな災害が起こると、必ずと言っていいほど自衛隊の給水車両が登場します。黙々と動く彼らの働きには本当に頭が下がりますが、先般の能登半島地震のように、道路の陥没などによって、給水車が被災地に入っていいけない、という場合も往々にして起こります。ですが、より小さな移動式浄水器なら、そうした心配は不要です。今、この時に水がなくて困っている方々に、キレイな水を届けることができます。

この浄水器を陸上自衛隊に紹介したところ「これは欲しい」という反応をいただきました。まだ改良の余地があるのですが、数ヶ月のうちに実用化できるよう、作業を急いでいます。ただ製品として生産・販売していくには、あれこれの準備が必要です。資金もかかりますし、何よりメーカーとしての体制を整えなくてはなりません。ただ、私の信頼できる知人が休眠している財団法人を持っているので、そこでやらせてもらう話がついています。地震に台風と、自然災害の多い日本ですが、この浄水器が一般化し、各都道府県・市区町村に置いてもらえれば、災害時のライフラインの一端は常に確保できることになります。

水道水よりも軽い水「重水素減少水」

「重水素減少水」と、字面だけ見ると実に重厚な名称ですが、これはまったくの逆。文字通り重水素を低減させた水で、重水素低減水、超軽水、スーパーライトウォーターなどとも呼ばれ、海外ではＤＤウォーターという名で知られています。少々化学的な話になってしまうので詳細は省きますが、この水も大気発電の副産物として得られる水です。

私たちが普通に使っている水は、水素二つと酸素一つが結びついたものです。ですがこの水素の中には、その構造によって「重水素」と呼ばれるものがあるのです。この重水素を取り除き、その濃度を低く抑えたものが、重水素減少水です。

重水素減少水は、ヨーロッパでは広く知られた水で、多くの人々に愛用されています。医療用水としても注目されていますが、商業レベルで生産しているのはハンガリーだけなので、現在流通している商品は、ほぼすべてがハンガリー製です。通常の水の場合、重水素の濃度は150ＰＰＭ程度ですが、この濃度を50ＰＰＭ、さらにそれ以下にまで抑えた製品がラインナップされています。

通販サイトを見てみると、25ＰＰＭのもので一リットル二万八千円程度。実に高価ですが、それだけ製造に手間暇がかかる、ということの表れといえるでしょう。

ですが私たちの大気発電のシステムを利用すれば、一日で三トンほどの重水素減少水が作れます。大気中にある水蒸気が原料ですから、原料コストがかかりません。この方法なら大量かつ安価に生産できますから、良い水をより安く、世界に提供することができます。すでに国内の大手製薬会社と交渉していますから、国産の重水素減少水が登場するのも、遠いことではないはずです。

ただ海外、ことにヨーロッパに輸出する……という話になったら、そこは注意しなくてはいけません。どんな業界にも既得権益があるように、そこではハンガリーのメーカーの怒りを買ってしまいかねません。そこはコントロールしていく必要があるでしょう。

体内の水分を重水素減少水に入れ換える

もう少し、重水素減少水の話を続けましょう。

この水は近年になって医療界でも注目を集めていて、体への作用について、医学的にアプローチする動きも出てきているようです。もちろん普通に飲料水として使えますし、入浴にも使えます。医療機関であれば点滴に使うというところもあります。体内に直接取り込めるので、飲用以上に効果的でしょう。体内の水分が細胞レベルで重水素減少水に置き換えられていけば、全身の状態に変化が表れます。特に肌への作用が分かりやすく表れるようです。

海外での話ですが、オートバイで転倒事故を起こし、下半身に酷い擦過傷を負った方がいました。病院での治療は高額なので、この水を三時間ごとに患部に吹き付けるようにしたところ、ものの二週間ほどでキレイに治ってしまいました。また肌のターンオーバーが回復するのか、「この水を使い始めてから、見違えるほど若返った」と喜ぶ女性もいます。アレルギーによる肌トラブルややけど、外傷などに使うと、目に見えて回復が早まるようです。その人に合った波動をあらかじめ当てておくことで、その作用をさらに強めることもできるでしょう。

この水の可能性をさらに追究していけば、医療は飛躍的に伸びていくでしょう。ＤＮＡ治療や再生医療に役立てることができるでしょうし、男性も女性も若返り、力がみなぎる状態に変えていくことができるかもしれません。

こういうものが登場すると、医薬品業界は商売上がったりになって、困ってしまうかもしれません。また政府側からも各種の規制という形でストップをかける動きが出てくるでしょう。ですが本当に素晴らしいもの、人を幸福に導くものであれば、既得権益などに遠慮することはないのです。困っている人を助けるのは、人としての徳なのですから、どんどん助けてあげるといいと私は思っています。

波動治療を推し進めれば、超人類が生まれる

波動についての話が少し出たところで、関連した話題についてもお話ししておきましょう。

波動の調整を医療に転用する波動治療では、しばしば「メドベッド」の話題を耳にします。確かにメドベッドと同等レベルの波動治療が広く普及すれば、病気で亡くなる方はかなり減らすことができるでしょう。もちろん、人それぞれの寿命というものはありますが、後天的な原因による病死というものは、少なくなると思われます。同様に、障害を持つ方の回復も、大いに期待できます。特に神経系の障害であれば、細胞の活性化が進んで神経細胞が復元されることで、途絶えていた神経が再接続するということ

も考えられるからです。

それをさらに推し進めていくと、失った腕や脚の神経細胞を復元・成長させ、それと接続できる義手や義足の開発という未来も見えてきます。義手や義足でありながら、生来の手足と同様に動かすことができるのです。その義手・義足にロボット工学を投下して、生身の人間を超える力を与えておけば、肉体をはるかに超える力を発揮させることができます。それこそ百メートル走で五秒を切るような、超人類へと生まれ変わることもできるのではないでしょうか。

波動ベースのリラクゼーションサロンを開設

人間一人ひとりが持っている波動と、外部から発せられる波動を共鳴させることで、不調の診断や調整を行う。それが波動治療の基本です。その人が出している波動の周波数をまず調べ、その周波数からずれた周波数が体のどこか他の部位から出ていたら、そこに何らかの異常がある。そこで外部から別の波動を当てて共鳴させ、その人固有の周波数になるように調整していく、というわけです。これで体が本来の働きを取り戻し、自己修復機能によって、正常な状態へと立ち返っていきます。

ただ、波動治療は正直「治療」といってはいけないんです。リラクゼーション効果はあるかもしれないが、それは医療行為ではない、というわけです。実際にこのやり方で酷いアトピーがキレイになったという例はいくらでもあるのですが、行政はあれこれうるさく言いますし、世間もうさん臭そうに見ているだけです。そのためこうした本の中でも、言いたいこと、伝えたいことが言えません。

なんとも歯がゆいことですが、やってしまえば良いのです。私は遠からぬうちに、都内に治療院……と言ってはいけないのですよね、波動ベースのリラクゼーションサロンを開設しようと計画しています。これも人の幸福につながることですから、大いにやりがいがありますね。

SFアニメから抜け出した、私たちのメドベッド

波動と医療という話になると、必ずといって良いほど登場するのが、メドベッドです。本来はその名の通り、ベッド形態の治療機器なのですが、あまりに高額になってしまうため、同等の効果を持つとされる「テスラ缶」が販売されています。

メドベッドはもともと旧ソ連の技術で、ベッドに横たわった肉体に合う波動を流し、細胞の復元・再生を促すというのが基本的なメカニズムです。これは長期間の宇宙活動によって衰えた宇宙飛行士の肉体を、再生するという用途を想定して開発されていたようです。ただ、地球外活動が十年、二十年という長期に及んだ場合、細胞の衰えも大きいはず。もちろん地球

に帰還してからメドベッドで治療すれば、出発時と変わらない程度まで若返ることは可能です。ただしその場合、脳細胞に記録された記憶を失ってしまうのではないかといわれています。

メドベッドは世界的に、病気に苦しむ人々から大きな期待をかけられているアイテムです。旧ソ連発のアイデアと技術ではありますが、ガン治療や代替医療、再生医療といった領域において、日本の高い開発力を活かした研究が、民間によって続けられています。

このメドベッド、私たちも開発を進めています。詳しくはお話しできないのですが、私たちのメドベッドは、見た目からしてSFチックなデザインです。ロボットアニメの登場人物が使うようなカプセル形態ではありますが、湿式で、利用者が中に入ると飽和酸素水が注入されます。その水自体に利用者の波動を打ち込んでおき、さらに生体に必要な栄養分やミネラルなどをバランス良く混入しておきます。ですからその水に浸るだけで、体が求めるものがスムーズに体内に入っていく、というわけです。これなら全身をキレイにすることができます。

また、このメドベッドを温浴施設として公開することも考えています。温浴施設……つまり銭湯の一角に、私たちのメドベッドを置いておき、来場者に使っていただく。あくまでも温浴施設の一種として公開しますから、医師法など医療関連の法に触れる心配はありません。

一般に知られた乾式のメドベッドは、すでにいくつかのメーカーによって作られていますが、私たちのような湿式メドベッドは、他に手がけているところはないはずです。理論と構造はできあがっているのですが、まだ現物がなく、これを作り上げるには、海外から技術者を招聘（しょうへい）する必要があります。この人件費に一人あたり千五百万円ほどかかるのですが、それが手当てできたら、すぐにでも始めようということになっています。

もちろん、製造はどこかのメーカーにお願いすることになりますが、どうせならゲーム機やおもちゃメーカーに依頼したらどうだろう、と考えています。機能性だけでなく、遊び心を発揮してもらって、いかにもアニメのワンシーンに登場するような、エンタメ性の高いものに仕上げられれば、楽しいですよね。これを温浴施設として展開していけば、心身ともに楽しく、健康になれるのではないでしょうか。また実際の運用については、すでに国内の医師や看護師の方々から協力の承諾を取り付けているので、そこは問題ありません。現物が完成したら、まず真っ先に私が使ってみたいですね。

ミネラル源としての鉱石の活用

「ビタミン・ミネラル」と一緒くたにされがちですが、各種のミネラル類はビタミン類と同様、生物が自分の体を正常に機能させる上で欠かせないものです。

人間の場合、その生命を維持して活動するためには、各種の栄養が欠かせません。まず活動のエネルギーとなる炭水化物と脂質。体の組織の原料となるタンパク質。そして体の調子を整え、体の機能が正常に働くようにするビタミン類とミネラル類です。これら五種類は「五大栄養素」と呼ばれ、健康を維持するために欠かせないものとされています。

さらにミネラルについて詳しく見ていくと、代表的なものとしてナトリウム、カリウム、カルシウム、マグネシウム、リン、鉄、亜鉛、銅、マンガン、ヨウ素……などが挙げられます。いずれもごく少量摂取できれば良く、通常の食生活を送っていれば問題なく摂れるものばかりですが、偏食などで必要なミネラルが不足すると、欠乏症をはじめ、さまざまな体の不調が起こります。では大量に摂れば良いのかというとそうではなく、過剰症や中毒を発生させる場合もあります。

ミネラルは食品中に含まれていますが、いくつも並べたミネラルの種類を見ると、金属性のものが多いことに気づくでしょう。マグネシウム、鉄、亜鉛、銅……これらはすべて金属そのもの、つまりミネラルは鉱石に多く含まれていることが分かります。

岩場の多い海岸に行くと、松などの植物が根で岩を割り、海風に逆らうように生えているのを目にしますが、あれは雨風を受けて岩から染み出る各種のミネラルを、根から吸収しようとしている姿にほかなりません。地球が生まれ、現在の姿に落ち着くまでの長い間に、膨大な種類の地球のエッセンスが、すべてミネラルとして岩に閉じ込められている。植物たちはそれを知っているのか、岩のわずかなすき間に根を差し込み、成長することですき間を割っていって、岩石からミネラル分を吸収しているのです。

また水晶のように、波動を持っている鉱石もあります。波動水と原理は同じですが、波動そのものは人工的に作れますから、天然物に頼らなくても大丈夫です。スピリチュアル系の方々の中には、人体に合った波動を発する機器を製作・販売している方もおられるようですね。その機械を使うとエネルギーが体に充填されるそうです。私たちの場合は先ほどお話ししたように、水を媒介とする温浴施設として、活用していこうと考えています。昔からある湯治のスタイルであれば、一般の方々にも無理なく受け入れられるはずです。

新素材カーボンナノチューブを、より低コストで

これまで何度か話に登場してきた、カーボンナノチューブについてもお話ししておきましょう。

カーボンナノチューブとは、炭素原子だけを蜂の巣状につなげた、チューブ型の極小素材です。強度は鋼の二十倍、密度はアルミの半分。熱伝導性は銅の十倍で、電子の移動度はシリコンの十倍。強くて軽く、高い熱伝導性を持つ、非常に機能性の高い素材です。

カーボンナノチューブは、こうした高い機能性を持ちながら、細さと軽さ、柔軟性を兼ね備えているため、さまざまな方面での活用が研究されています。特に、高い導電性や熱伝導性、耐熱性を活かすことで、合成樹脂

やゴム、塗料などの、通常では熱や電気を通さない素材に熱伝導性や導電性をプラスすることが可能です。

私たちのファクトリーでは、炭化炉で作った炭から炭素を分離して作っていますが、炭化炉の炭には炭素以外の不純物が多く含まれており、精製に手間がかかるという難点があります。ですから大気発電によって得られる二酸化炭素から、炭素だけを分離したほうが、より低コストでできますし、手間もかかりません。カーボンナノチューブの価格は現状で一グラムあたり数万円もしますが、大気発電の応用で製造すれば、おそらく百七十円程度で生産できるでしょう。まさに桁違いの低価格化ができますから、世界市場でも強力な競争力を発揮できます。

カーボンナノチューブの量産システムが普及していけば、素材としてアルミに取って代わることができますから、現在のアルミメーカーは、生産ラインの多くをカーボンナノチューブに振り分けることになるかもしれません。

逆転の発想から作ったセキュリティソフト「まもる君」

現代では情報の流通だけでなく、あらゆる取引がネット上で可能になりつつあります。それと同時進行で懸念されているのが、インターネットを介した犯罪行為です。メールを使ったフィッシング詐欺をはじめ、個人情報を盗み出したり、便利なアプリを装ってインストールさせ、データベースやシステムを破壊したりするウイルス、クレジットカードや金融機関の登録情報を盗み出すスパイウェアなど、いわゆるマルウェアが跋扈(ばっこ)しています。

日本にインターネットが上陸した当初から、マルウェアは常にその脅威が喧伝され、さまざまな対策が施されてきました。多くのセキュリティソフトが登場し、マルウェアを検知するたびにその侵入を阻むのですが、そのたびに進化したマルウェアが現れるというイタチごっこが続けられてきました。その脅威は現在に至っても、根絶することができずにいます。ですがこうした状況を大きく転換すると思われる画期的な発明が、マルウェア駆除ソフト「まもる君」です。

従来のセキュリティソフトは、外部からの侵入を阻み、被害を水際で食い止めるという発想から作られています。ですがまもる君は、侵入しようとするウイルスの侵入をあえて許し、システム内に取り込んで行動を追跡します。そして情報を盗んで外部に送信しようとする際に、その情報の中に作為的なプログラムを組み込んで送信させます。その結果何が起こるか、あまり詳しいことはお話しできないのですが、こちら側のデータを守り、同時に二度とアクセスできないようにガードすることが可能になるとともにに、送信先を追跡して、マルウェアの発信元を突き止めることができます。

まもる君は小さなアプリケーションですが、PCの基板に組み込んでおくこともできますから、企業なり公共機関なりのPCに組み込んでおけば、強力な防御ネットワークが構築できます。現在、某省庁に納品し、サブシステムで使ってもらっています。ウイルス攻撃等を受けてシステム障害が起こった際、より強力な防御力を持ったサブシステムに切り換える、というわけです。

技術に立脚した理想国家ができあがる

私たちが研究開発している技術について、思いつくままあれこれとお話ししてきました。進捗状況はそれぞれに違いますが、これらすべてが揃えば、理想的な未来国家ができます。電力、水、食料が得られ、同時に経済的な利益も得られます。あらゆる分野で、日本は本来の強さを取り戻していくでしょう。

また現在のところ、国防が日本の弱点になっていますが、カーボンナノチューブで護衛艦や戦闘機を作れば、撃沈・撃墜のしようがありません。さらに兵士の鎧（よろい）をこの素材で作ったら、傷つけることすらできません。小銃の代わりにプラズマを発する刀を持たせたら、遠距離戦から接近戦まで、向かうところ敵無しです。さらに航空防衛にはドローンを使い、無人操縦機をメインにすれば、戦線に赴く必要もありません。海上自衛隊も海上保安庁も同様です。コントロールする人材がいれば良いのですから、大幅な人員削減にもなります。

ですがそれでは、日本の国防を担ってきた方々が職を失ってしまいますから、その方々を私たちのところで雇用するのです。大気発電が現実になり、日本中に発電基地ができれば、そこを管理する人材が必要になるのですから、退官した自衛官、海上保安庁の方々を、すべて受け入れることができます。

昭和の頃よりもさらに先鋭化した技術立国を立ち上げることは、国際社会で日本の地位を強固にするためには必要なことです。技術において、諸外国に「日本に倣わなくてはいけない」と思わせるような国づくりをすることが、対外的にも大きな武器になるからです。それでこそ日本は世界と対等な立場に立てますし、公平な取引ができるようになるのです。

革新的な技術を世の中に打ち出すためには

これまでお話ししたように、私を中心として多くの方々が動き、その結果として多くの発明と研究開発が進められてきました。それらのアイデアと技術の一つひとつは、いずれも素晴らしいものであり、人を幸福にするポテンシャルを秘めていると確信しています。ですがそれを製品化し、世の中に広めていくためには、やはり資金が必要です。まして、ここでご紹介したものすべてを……となると、とても私自身の資金力では及ばないレベルになってしまいます。

先進的な研究開発に対しては、政府からの助成がありますし、また製品化が見込めるものであれば、企業と組むという方法もあります。ですが「話だけ聞いてそれで終わり」というケースも少なくなく、正直げんなりすることのほうが多いのです。

ですが財団法人を立ち上げて弁護士に仲介してもらえば、相手もあやふやなことは言えません。「一億出すので、資料をください」というような、与太話に付き合わなくて済みます。今ならクラウドファンディングという方法で、一般の方々から広く寄付を募りながら、その恩恵を還元することもできます。日本ひいては世界の現状を憂い、その解決を手助けしたいという志を持つ方々の善意と支援を役立てられるよう、きちんとした仕組みを組み立てるつもりです。そうなれば、皆さんの志を明日の日本と世界に、役立てることができると信じています。

突出することの弊害とは

どんな分野であれ、突出した革新的なテクノロジーは、周囲に大きなインパクトを与えます。それは往々にして、あるグループの権威を傷つけ、既得権益を脅(おびや)かす結果につながります。それを嫌う彼らは、突出した者を排除しようと動きます。

分かりやすい例を挙げれば、自動車レースの最高峰であるF1です。F1にはホンダをはじめ、ヤマハやトヨタも参加していたのですが、日本のメーカーの勝率が上がると、その都度レギュレーションが変更され、日本メーカーが不利になる……という状況が繰り返されてきました。そこにはもっともらしい理由が付けられているのですが、明らかに日本メーカーの排除が目的としか思えないほど、こうしたことが続いてきたのです。

　エンジンとシャーシ、ドライバーの総合力で戦うというのが、Ｆ１の真髄です。ですが優れたエンジンやシャーシを開発しても、それをレギュレーションで縛り付ければ、技術の発展を阻害することになります。日本車の躍進が気に入らないなら、より優れたものを作り出せばいい。そうした発想を、なぜ持つことができないのでしょうか。あるいはそうした発想を持っていても、それを前面に押し出すことができないのは、なぜでしょうか。

　負けたら、次は勝つ。勝ったら、次も負けない。そのために常に技術を磨き、相手の上を行こうと切磋琢磨し合うことが、技術の進化向上につながります。負けた相手の力を削（そ）ごうというのは、およそ建設的な行動ではありません。しかし現実の世界では、こうしたことがまかり通っています。

　前述したカーボンナノチューブは、素材として非常に優秀ですので、ある航空機メーカーに「これで航空機を作ってみては」と持ち込んだことがあります。先方は素材に対しては非常に肯定的だったのですが「実際にやるとなると、反対勢力に潰されます」と、はっきり言われました。技術でも何でも、突出することには、こうした弊害が常について回ります。まったく、「やれやれ、またか」としか言いようがありません。

第2章

日本、わが国はいかにあるべきか

バブル期の動きを日本は反省すべき

現在の日本の弱点は、一にも二にも資金力です。このところ景気が上向いているとか、過去最高の税収とか、景気の良い話も耳にしますが、長く続いた不況の傷跡は、そう簡単に癒えるものではありません。また諸外国からの視線にも冷たさを感じます。彼らはおそらく「日本に金を持たせると、ろくなことをしない」と思っているのではないでしょうか。

確かにバブル期の日本経済……というより、日本経済を回していた連中の蛮行は、目に余るものでした。土地を買い占め、何に使うのかのプランもないまま箱物を作り、マネーゲームの勝者になったつもりで、国内外でやりたい放題です。ニューヨークのシンボル的な施設であるロックフェラーセンターを三菱地所が買収したことは、アメリカ人、特にニューヨーカーにとって我慢ならないことだったでしょう。彼らは今も、ジャパンマネーの横暴さを忘れていないと思います。これは日本が反省すべきことでしょう。

ですがここ三十年も続いた日本の不況は、お金の大切さを知り、苦しみを分かち合うことなど、日本人が人として忘れかけていたものを思い出す機会でもあったのだと思います。もちろんこの苦境から早く抜け出したいけれども、まずは一人ひとりが我が身を深く顧みることです。その上で、腰を上げて動き出すことです。

ただ日本人は気質として、つい周りを見回してしまいます。自ら率先して動き出すということが、なかなかできません。ですがリーダーシップを持つものがまず行動すれば、志を同じくする人々が一斉に動き出すはずです。そう信じてひたすら耐えてきましたが、ようやく準備が整いつつあります。

今まで十数年にわたって温めてきたものが、一気に花開く時が来たのです。ですから私自身が、行動の先兵になるつもりです。

平等ではいけない、公平であれ

政治を行う上で重要なことはいくつもありますが、そのひとつに「公平」があります。公平と平等はよく混同されるようですが、意味するところはまったく違います。

たとえば、高い塀の向こう側の景色を見る場合に、背の低い人には高い脚立を与え、背の高い人には低い脚立を、もっと背の高い人はそのままで、というのが「公平」です。一方の「平等」では、背の高さにかかわらず、皆に同じ高さの脚立を与えます。ですから目線の高さがバラバラになってしまいます。

結果を平らかにするのが公平、与えるものを等しくするのが平等、というわけです。戦後、この公平という価値観がいつの間にか平等にすり替えられ、そのためにいろいろなところでおかしなことが起こるようになりました。

ひとつは男女平等です。男と女は心身の特性がまったく違いますから、得手不得手という点で違いがあって当然です。それを同じに扱うことはできません。こういう発言をすると脊髄反射のように「女性蔑視だ」という声が飛んでくるのですが、まったく的外れな指摘と言わざるを得ません。

また生活保護もとても公平な仕組みとはいえません。もちろん、やむを得ない事情で保護が必要な方々はいますし、社会のセーフティネットとして必要な制度ではあります。ですが「働けない」のと「働かない」のはまったく違います。生活保護は働かない人間を養うための制度ではありません。ましてや日本国籍を持たない外国人にまで、なぜ適用する必要があるのでしょうか。「人道上の配慮」といえば聞こえは良いですが、日本国民としての要件を欠く者にまで生活保護を適用する行政の姿勢は、まったくもって不合理です。

もちろん、私は一律に「外国人は出て行け」と言っているわけではありません。仕事や観光で来日した外国人の中には、日本の文化や習慣を理解し尊重する人々は数多くいます。そうした人々は「自分が恥をかく行動をすると、自国の恥になるから」と、慎ましく行動し生活しています。

ですが、そうでない人々もいるのです。外国から日本にやってきて、生活が立ち行かなくなったなら、母国に帰れば良いだけの話です。自分の家族を養うために懸命に働いている日本人が、なぜろくろく仕事もしない外国人まで養わなくてはならないのか。平等平等と言っているうちに、いろいろなところにほころびが表れてきた現代の日本を、私は憂うばかりです。

政治の仕組みを根本から変えるべき

現在の政治の仕組みも、もう組み替えた方がいいと私は思っています。根本的な仕組みを変えずにいたために、カネと権力の奪い合いの場と化した政界は、もはや修正不能になりかけています。

ここで私の思うままに、言いたい放題に言うのなら、まず自民党は終わっても構いません。生み出した責任の一端が私の系譜にあるのは確かなのですが、ここから個々の議員たちを矯正していくのは至難でしょう。残すのであれば、もう衆議院の中でだけ活動してください。参議院は藤原の人間を集めて、動かしていきます。現在の参議院から既存の議員をすべて排除したら、衆議院の選挙戦はたいへんなことになるでしょう。ですが私の知ったことではありません。ある意味、彼らの自業自得なのですから。

　また私たちが持っている技術が一つひとつ公になれば、日本の国力は急速に上がっていくでしょう。他国にはない、真似のできない技術なのですから、世界中がのどから手が出るほどに欲しがるでしょう。

　とはいえ、そこで偉そうにふんぞり返るのは良くありません。協力的な国々に対しては友好的に接し、こちらも協力していくのが基本路線です。フィリピン、台湾、シンガポールといったアジアの近隣国とは、早期に協力し合えるでしょう。ヨーロッパではイギリス、ドイツ、それに北欧の各国でしょう。冬の燃料費が膨大ですから、私たちの技術でそこをカバーできれば、協力していくのは難しくありません。ただヨーロッパについては日本と個別に取引するのではなく、サンマリノを中心にひとつにまとまると良いと考えています。観光立国であるサンマリノは、コロナ禍によって大打撃を受けました。ですがかの地にはヨーロッパ初となる、神道の神社

「サンマリノ神社」があり、日本とは浅からぬご縁があります。技術と人材はこちらから提供できますから、私たちとの協働で、ぜひ盛り返していただきたいと思います。

新時代の国防プランを、早急に策定すべし

私は国防というものを、日本が真剣に考え、動かすべきだと考えています。もう今すぐにでも、行動すべきだと。私がここまで強く訴えるのは、不安定さを増している世界状況だけが理由ではありません。ニュースとして報じられない隠された脅威にも対抗できる、強靭な盾を用意し、国と国民を守り抜かねばならないと考えるからです。

たとえば某国が地球の周辺に飛ばしている監視衛星、これが何らかの悪意を持って活動を始めたら、どう対処するのか。寝ぼけた政府であれば「証拠がありません」と何もせずにいるでしょう。ですがそんなことでは、国を守ることなどできません。

公式にはコメントされていませんが、アメリカが運用していると噂になっている「神の杖」。これはタングステンやチタンで作られた重量百キロほどの棒を、地上に落下させるという兵器です。こうした脅威に、どのように対抗すれば良いのでしょうか?

いちばん確実なのは、レールガンです。レールガンはSFの世界でたびたび登場していますから、ご存じの方は多いかもしれません。陰極と陽極に振り分けられた二つのレールを並行に設置し、そこに弾丸となる金属を置きます。そして陰陽それぞれの電流を流して生じる電磁力で弾丸を駆動し、発射するというものです。すでに各国が実用化に向けて取り組んでいますが、アメリカは二〇二一年に開発中止を発表。一方の日本は、先にお話しした通り二〇二三年に世界初の洋上発射試験に成功し、引き続き開発を続けています。

レールガンは膨大な電力を必要としますが、大気発電による高出力発電ができれば、その問題をクリアできます。砲身を使うと砲身そのものが発射の衝撃に耐えられませんから、無砲身の、四本のレールの中に砲弾を浮かせておき、それを電磁加速する方式が良いでしょう。あるいは、プラズマ兵器でも良いかもしれません。私たちの大気発電で高出力の電力が作れれば、こうした発想による国防プランも、現実のことになるのです。

技術の組み合わせで何ができるのか

国防ということでいえば、大気発電に加えてカーボンナノチューブと反重力エンジンを、大々的に投入したいところです。カーボンナノチューブを応用すれば、艦船でも戦車でも、最強の防御力を持つものが作れる、ということは前章でお話ししましたが、そこにさらに反重力エンジンを組み合わせるのです。

単純なところから発想すると、カーボンナノチューブで構成した高強度の機体に反重力エンジンを組み込めば、高機動性能を持つ航空機が作れます。これで「バルキリー」が実現します。ジェットエンジン搭載機では不可能だった機動が可能ですし、高速の輸送機が作れますから、航空戦略に大きな変革をもたらすでしょう。

船舶ではどうでしょうか？　従来船は海に船体を浮かべ、スクリューの推力で航行していましたが、海面すれすれにカーボンナノチューブで構成された船体を浮かせ、反重力エンジンで滑るように航行するのです。ホバークラフトよりもスムーズかつ高速ですから、海上輸送が激変します。

さらに宇宙開発に目を向ければ、まさに宇宙戦艦の誕生です。従来のロケットに代わって、反重力エンジン搭載のスペースバトルシップが宇宙へと飛び立つのです。なんとも夢のある話ではありませんか。

ロケットは固形・液体を問わず、ロケット燃料を大量に使用するため、異常燃焼や爆発の危険と常に背中合わせです。ですが反重力エンジンであれば、そうした危険はありません。大量の電力を必要としますが、大容量のキャパシタバッテリーがあれば、その課題は容易に解決できます。その電力を供給するには、栃木県や茨城県など、雷の多い地域に大気発電施設を並べ、そこで電力を収集、キャパシタバッテリーに充電すれば良いでしょう。栃木・茨城周辺の地域は日照時間が長いため、休耕地などにソーラーパネルがズラリと並べられているそうですが、そうした地域に大気発電施設を設置するのです。

カーボンナノチューブと反重力エンジン、大気発電。この組み合わせは国防だけでなく、人々の生活にもさまざまな恩恵を与えてくれます。それだけに、一日でも早く実現したいところです。

テクノロジーが日本と世界を変える

さて、前項でお話しした「世界を変える技術」で、何が変わるのでしょうか。

まず兵器という側面から見ると、日本は世界最強の装備を得ることができます。もちろんそれを使って他国を威圧するというような、某国のようなやり方はしません。ですが「最強レベルの軍事力を潜在的に持っている」ということは、それだけで抑止力として働きます。日本の周りには少々物騒な国々が並んでいますが、彼らに日本周辺に手を出すことをためらわせるだけの効果はあるでしょう。

ただ、これらの技術の主目的は、まず人々の生活に資することです。航空機にしろ船舶にしろ、反重力エンジンならば、今まで以上の高速輸送が可能になりますから、物流に変革をもたらします。船舶であれば、少々海が荒れていても、その影響を小さく抑えることができますから、島嶼(とうしょ)部への安定的な輸送手段として理想的です。

またカーボンナノチューブの船体であれば、海賊レベルの攻撃に耐えられる装甲を持ちます。この船体なら、日本にとって命綱ともいえる、産油国周辺の海上輸送の安全性が高まり、原油価格の安定にも寄与できるはずです。

これほどのものを世の中に出したならば、特許料だけでも莫大な金額だな……と、多くの人は考えるでしょう。現在では、それが当然の発想です。ですが私は、こうした便利さの提供のその先に、日本を根本的に変えていく将来を見ています。お金儲けのためにやるのではありません。

消費者と市場が求めるものを供給し、利益を得て事業を拡大する。それが現在の企業活動の基本です。では事業を拡大したその先に、事業家の皆さんはどんな未来を見ているのでしょうか。大金持ちになった自分自身でしょうか。私は自分が金持ちになるよりも、この国を豊かにし、高めたいのです。

大気発電が稼働すれば、あらゆる領域でコストダウンが図れます。海洋資源からゴールドを採取できます。これらの事業を行う企業は国営にして、その収益を国家運営に充てれば、税金は大幅に圧縮できるでしょう。それどころか産油国のように「税金のない国」にできるかもしれませんし、教育や医療、福祉なども、国家予算の中で十分に賄えるかもしれません。食料やエネルギーも国から支給されれば、国民の経済生活は一気に楽になります。

二〇二一年度、日本の税金の国民負担率は四八・一％でした。いくら頑張って稼いでも、その半分近くが税金で持って行かれてしまうのです。こんな状況で、余裕ある暮らしができるでしょうか。精神的なゆとりが得られるでしょうか。

税収が過去最高、日経平均株価が過去最高、大企業は二桁の賃上げ、日銀が利上げに方針転換……。景気の良いニュースが流れるたび、有頂天になって大喜びする人々の映像がテレビに映し出されます。何事かがあるたびに一喜一憂していたのでは、バブルに浮かれた過去を繰り返すばかりです。ですが私たちの発明品によって、人々の暮らしが便利になり、経済的にも精神的にも余裕を持てるようになれば、人々の意識も変わっていきます。「自分自身の人間性を高めよう」「他者のためになることをしよう」というモチベーションも、生まれてくるでしょう。

また自社の利益を最優先する現在の企業の多くは、私たちのやり方を見て鼻で笑うでしょう。ですが私たちのスタンスに共感してくれる企業も少なからず現れるはずです。実際に私の周りには、そうした方々ばかりが集まっているのですから。そうすれば遠からず、企業活動のあり方そのものが変化していくでしょう。

そして日本に起こったこうした変化に、諸外国でも賛同者が現れることでしょう。志を同じくする個人が集まり組織になり、あるいは企業が旗振り役になって、技術を利益のためでなく、社会変革のために使うという発想と行動が、広がっていくかもしれません。

私たちが持ついくつものテクノロジーは、日本発のトレンドとなって、日本のみならず世界を変えるポテンシャルを持っているのです。

現代人が忘れている和の尊さ

どんな分野でも、技術畑の人間の中には、一匹狼のような存在がいるものです。膨大な知識やユニークな発想、それを形にする腕があるのに、あえて集団に背を向け、自分がやりたいことをやる、作りたいものを作るといった技術者です。そうした「はぐれ者」は決して共同作業が嫌いというわけではないのですが、確固とした自分の世界を持ち、その中で素晴らしいモノを作り上げることがしばしばあるようです。

また、長い経験を持つ叩き上げの技術者も、時に人間業とは思えないようなモノを作り出します。そのため、宇宙ロケットに使う超精密なパーツを、下町の町工場のオヤジさんが手作業で作り出すといったことが起こります。

日本には、こうした素晴らしい技術が数多く眠っているのです。これが大手メーカーの研究所で生まれたものなら、すぐにでも製品化され、世に出るでしょう。しかしはぐれ技術者や町工場のオヤジさんの仕事は、なかなか世間に知られることがありません。誰かがそれを発見し、世に出そうとすると、既得権益を失うことを恐れる連中が、妨害しようとします。

この状況が、私には我慢ならないのです。

技術的に素晴らしいものなら、皆で協力し合って世の中に出せば良いではありませんか。設計は俺がやる、じゃあうちは生産をやる、メンテナンスやアフターケアは我が社で……という具合に、できる仕事を分散させながら、皆で進めれば良いではありませんか。それが日本古来の価値観である「和を以て貴しとなす」ということではありませんか。

競争相手と切磋琢磨してこそ、技術は洗練されていきます。出る杭を打つのではなく、「そのやり方があったか、でもこうすれば、もっと素晴らしいものになるのではないか」と、お互いに高め合えば良いのです。妨害や潰し合いではなく、和して高め合うのです。

はるか古(いにしえ)の時代に論語で語られ、十七条憲法にも記された、この古い言葉を、なぜ現代の日本人が実践できないのか。私は本当に残念でなりません。

大気発電による変化を世界は受け入れられるのか

大気発電が始まり、それに伴って多くのアイデアが現実となれば、それによって私たちは莫大な収益を上げられます。その規模は、ざっと見積もっても日本の近年の国家予算の十倍前後にはなるでしょう。それだけのポテンシャルを、すでに私たちは持っているということです。

だからといって、私たちは支配する側に回りたいわけではありません。私は日本人として「和すること」の大切さを知っているつもりです。ですから政府が、私たちの価値観や行動指針と協調できるのなら、ともに協働するつもりでいます。私たちが技術を提供し、政府がそれを管理して有効活用する。そうした未来を、私は夢見ています。

私たちの技術を応用すれば、海でも陸でも、埋没資源を発掘できます。金、銀、プラチナ、すべて採掘できますし、レアアースも採取できます。従来のやり方であれば、これらの資源採掘には膨大なコストがかかりますが、少なくとも私たちのやり方であれば、大気発電のエネルギーを使えますから、電力コストの原価はゼロに等しい額です。採取した資源を船で運搬するにしても、その船に大気発電のユニットを積んでおけば、運送コストも大幅に抑えられます。

「でもそれでは、中東の石油の価格が暴落してしまう」と心配する人がいるかもしれませんが、それはそれでかまいません。なんなら中東の産油国にも、大気発電システムを提供すれば良いのです。大気発電の豊富な電力量をもってすれば、砂漠の緑化も大いに進むことでしょう。アフリカも同様で、環境改善の大きな一歩を進めることができるはずです。

地球規模での環境改善の一歩を、踏み出すことができるのです。こうなればー国の利益や企業の既得権益など、取るに足りない小さな問題に過ぎません。

ただ、こうした価値観を、日本政府も含めたすべての国々が受け入れられるかどうか。今のところは、そこが未確定要素です。ですがそれは「今のところは」という条件付きです。技術によって世界を変えられる可能性は、決して小さな数値ではないと私は確信しています。

第3章

藤原家の直系男子として生まれ、生きる

藤原の血筋の使命

私は自分自身に対して、使命を感じています。それは中大兄皇子とともに大化の改新を断行した、中臣鎌足……のちの藤原鎌足の直系の血筋であるという事実ゆえです。

現代から千四百年も遡る昔、当時の豪族であった蘇我氏は、天皇を次々と担ぎ上げたり引きずり下ろしたりと、政治の中枢を握り、専横を繰り返していました。この現状に義憤を抱いた鎌足は、政権を天皇に取り戻し、国家の安定と民の安寧を図るべく、蘇我入鹿の暗殺に踏み切ったのです。

もちろん、どんな理由があろうとも、殺人は賞せられることではありません。ですが旧態依然とした悪しき慣習を断ち切るためには旧習にとらわれることなく、敢然として事を起こすことは必要なことです。だからこそ私は、遠い先祖の精神を現代に反映させ、さまざまな新技術に触れ、積極的にその開発を進め、既得権益をむさぼる面々と戦っているのです。すでにプランはできあがっていますが、私の世直しは、まだまだこれからが本番です。

今も脈々と生きている鎌足の系譜

　ご先祖の話を、もう少し続けましょう。中臣鎌足というのは、天児屋根命（アメノコヤネノミコト）の直系子孫であり、藤原家の祖です。この血脈を受け継ぎ、私の系譜につながっていきます。その途上で、五摂家（ごせっけ）を務めた九条家、一条家、鷹司（たかつかさ）家などの庶流が生まれていきます。

　藤原の家系は天皇家の近くにあって、天皇を支える役割を代々果たしてきました。私の系譜は藤原の直系ではあるのですが、昭和の二十年代に、私の祖父と祖母が離婚しまして、まだ子どもだった父が、母方の姓を名乗るようになりました。これが私の「原」姓です。戸籍の上では鎌足の系譜から外れてしまったのですが、直系の男系男子です。私が藤原家の話をすると「そもそも、お前は原じゃないか」と言われることがほとんどなのですが、そこにはこういう理由があるのです。天皇家と同じく、私が藤原鎌足の直系の男系男子であることは、間違いありません。いま現在、私につながる系譜の上で生存している男系男子は、私ともう一人しかいません。ちなみに「原日本」というのはペンネームではなく、本名です。

この令和の時代に藤原家が五摂家が……などという話をしても、何のことやら分からない、という方がほとんどでしょう。ですがまれに藤原の血を引く旧華族の方からお声がけいただき、お話しする機会があります。すると血は争えないというか、やはり現在の日本の状況を憂い、何とかしなくてはという使命感は、皆さんお持ちのようです。

ですがそれぞれの感じ方、考え方には温度差がありますし、実際に何ができるかは皆さん違います。人には得手不得手がありますから、できる人間ができることをすればいい、と私は思っています。取り急ぎ必要なのは、天皇家へのサポートです。

はるか昔、私たち藤原家は天皇家を支え、お守りする存在でした。ですが現在の天皇家には宮内庁以外に、そうした存在があるのでしょうか。どうにも気がかりなことです。

ご存じの方は多いと思いますが、悠仁殿下と同世代の男系男子は、実はお二人おられます。そのお二人も、しっかり保護して差し上げないといけない。そうした使命感は、強く感じています。

何事も自分なりにかみ砕く

私は「現代人は科学を盲信してしまっている」という印象を持っています。確かに科学はこの数百年のうちに大きな進歩を遂げ、世の中の多くの謎を解き明かしてきました。同時に人々の暮らしを豊かにし、より健康で安全、しかも快適な環境を作り上げてきました。科学が人類に与えてきた恩恵は、計り知れないほど大きなものです。

ですがその力を、人々は盲信しすぎているのではないかと思うのです。どこかの大学の教授であったり、大病院の医師であったり、とかくどんな分野にも「権威」はいるものです。その権威が「右だ」といえば、業界全体が右を向きます。そこに「いや、もしかしたら左ではないか？」という疑問を持つことさえはばかられる、そんな空気が、できあがっているようです。

一般の人々の間にも、こうした心理は見られます。「偉い先生が言っていたから、本当なのだろう」と疑いもなく信じてしまいます。特定の技術についての専門知識がなければ、その分野に詳しい専門家のアドバイスを受けるのは、良い方法です。ですが頭から鵜呑みにしてしまうのは、いかがなものでしょうか。

私はさまざまな技術開発に関わっています。その分野は多岐にわたりますから、私一人ですべてに目を配ることは難しく、またそれだけの専門知識も持ち合わせていません。ですから餅は餅屋で、その分野の専門家や、その技術が得意な方々に現場を委ねています。

ただしどんなことであっても、自分なりにかみ砕くということはしています。化学や電気工学などは基礎知識だけでも膨大な量になりますから、専門家の話をそのまま理解することは簡単ではありません。ですが細かな理屈は分からなくても、おおよその理屈が飲み込めれば良いのです。そして実験を繰り返し、良い結果が出れば「じゃあもっと進めていこう」ということになります。

すべてを専門家に任せるというのも良いのですが、何も知ろうとせず、すべて他人にお任せでは、あまりに無責任です。ものごとに関わるのであれば、最低限知っておくべきことは、理解しようとしています。その上で実践すれば、開発を進めるべきか否か、判断も付けられるからです。

抵抗勢力には正面から対峙する

常識を覆すような発明や開発は、得てして強い抵抗に遭います。その抵抗勢力は既得権益にすがる企業であったり、それらとつながる行政であったりします。ここ数年は、こうした勢力と戦い続ける日々でした。実際に、強い抵抗によって頓挫したプロジェクトはいくつもあります。

私たちが手がけているものは、人々を幸福に導く力を持つものばかりです。健康であったり、低コストであったり、環境負荷の軽減であったり、人々にとってプラスになるものばかりです。なぜそれを、企業や行政が潰しにかかるのですか？　あなた方は事業によって社会に貢献し、適正なルールの運用によって企業活動の健全な発展を助けるのが役割であるはずでしょう？

私たちがこれまでに手がけ、またこれから世に出していくものは、こうした反対勢力にとって、きわめて「都合が悪いモノ」なのです。だから潰しにかかる。それでも誰かがやるしかない。だから私がやるのです。

ただ私自身、さまざまなところで情報発信していく中で、少々過激に聞こえる発言もしています。ですがすべて本当のことですから、誰かの邪魔が入ろうとも気にしません。来るなら来い、と思っています。もしも私に何事かあったとしても、私と同じ志を持つ同志は四百人以上います。その中の誰かが私の跡を継ぎ、前進を続けてくれるでしょう。私のご先祖は自ら命の危険を冒してまでも、大化の改新の口火を切りました。私もその姿勢に倣うべきだと考えています。

もうひとつ、現在の日本で政治の中枢を担うのは自民党ですが、この自民党は私の本家筋が資金を提供して立ち上げた政党です。つまり自民党の誕生に深く関わっていたのなら、その政党が結果として生み出した現在の状況に、無責任ではいられません。現在の政党政治は国民そっちのけで、実利と保身に目の色を変えるばかりのようです。これを正しい方向に導かなくてはならないと考えています。

そもそも議員というのは有権者の代理人であり、議員の組織である政府は全国民によって構成される、国家の代理機関であるはずです。議員の皆さんは任期を終えたら、あるいは選挙で落選したら仕事は終わりかもしれませんが、私には現在の日本の政治に関わった責任があります。この責任には任期などというものはありません。だから各方面から何を言われようと、ひたすら走り続けているのです。

実際のところ、私が少々突っ走ったところで、国民の皆さんが困ることは何もありません。困るのは、既得権益にしがみつく連中です。日本が長い長い暗闇から抜け出し、負の連鎖を断ち切るためには、そろそろ行動して良い頃だと感じています。

手術から目覚めたら並行世界に移動していた

私はこれまでに、何度か手術を受けたことがあります。ですが最初の脳の手術の時……あれは私が三十二歳の時のことですが、奇妙なことが起こりました。手術によって、私は並行世界に移動していたのです。

手術が終わって麻酔から目が覚めた時、やれやれ、無事に終わったなと、私は安心していました。しかししばらくすると、私が目覚めた世界は、私が知っている世界とは、違うことに気づいたのです。まずベッドの脇にいた私の母親が、見た目からして違う。いや、確かに母の姿形をしているのですが、目鼻立ちや表情などが、私がよく知っている母と違うのです。

世の中にはよく似た兄弟、瓜二つの親子などがいますが、それでも二人を並べてみれば、似ているけれども同一人物でないのは明らかです。目覚めた私が見た母と、私が知っている母との間には、それほどの誤差があったのです。

　またテレビを見ていても、登場する芸能人たちが同じように何となく違うのです。「この女優さん、もっと年配じゃなかったっけ？　どうしてこんなに若いの？」ということが、ひんぱんにありました。

　どうやら私は、並行世界に飛んできてしまったらしいのです。おそらく私がいた世界では、手術の前後に私は死んでしまったのかもしれません。そのため数ある並行世界の中から、私が手術を生き延びた運命を持つ、この世界に飛ばされてきたのでしょう。以来、私はなにがしかの違和感を感じつつも、この世界で生きています。

　初めのうちは、くしゃみひとつで元の世界に引き戻されそうな恐怖心があって、怯えてもいたのですが、どうやらその心配はなさそうです。つまり、私が元の世界に戻れる見込みはない、というわけです。

だったら、この世界で存分に生きてやろう。やるべしと思ったことは、何でもやってやろう。そう思い決めて、日々暮らしています。

眉唾ものだとか、陰謀論をまき散らしているとか、私に対してあれこれ言う人たちが多くいることは知っていますし、そうした声も耳に入ってきます。ですがまったく気にしていません。どこに行っても、雑音は聞こえてくるものです。いちいち反応していては身が持ちませんし、それほど私はヒマでもないのですから。

プレアデス人の夢のお告げ

私について語る際にもうひとつ、話しておかねばならないことがあります。それは宇宙生命とのつながりについてです。ここから先はオカルトな話になってきますが、私は単に経験した事実をお伝えするばかりです。

宇宙生命というと、プレアデス系の方々がポピュラーな存在として知られています。プレアデスは地球から見て牡牛座に位置する星団であり、和名では「昴（すばる）」という名でも知られています。このプレアデス星団系に暮らす宇宙人が、プレアデス星人です。このプレアデスの方々から、私は直接啓示を受けました。夢のお告げというべきか、あるいはテレパシー通信と呼ぶべきか……。ともあれ、直接のメッセージを受けたのです。

あれは私が現在の仕事を始めて何年か過ぎた頃です。自分の部屋で資料をまとめていましたら、何か急に気分が悪くなり、頭がぼうっとする感覚が起こりました。いけない、これは脳がやられたのかと思う間もなく、目がかすみ、視界がモヤに包まれるようにぼんやりとしてきました。これはまずい、このまま死んでしまうのだろうか。せめてベッドで横になろうとするのですが、体がうまく動いてくれません。ああ、もうダメだ。やりかけのことがたくさんあるのに……みんな、ごめん……。そんなことを思っていると、急に頭の中で声が聞こえたのです。耳から聞こえてくるのではなく、頭の中で声が響いているのです。

それは男性とも女性ともつかない、合成音声のような不思議な声でした。その声が、私に語りかけたのは、次のような言葉です。

「あなたは死にません。今していることを成し遂げなさい。人類の知識でここまでたどり着くには、たいへんなこともあったでしょう。ですがあなたがしていることは、間違いではありません。やっと、人類も気づき、ここまでたどり着いたということです。このまま進めなさい」

この通りではなかったと思いますが、こんなようなことを語りかけられました。しかし「このまま進めなさい」と言うほど簡単なことではありません。私がやることに対する誹謗中傷は毎度のことですし、何より慢性的な資金不足です。進めたくても進められない状況が、ずっと続いていました。すると声はさらに続けて言いました。

「あなたたちの技術があれば、お金はいくらでも集まります。たとえ技術が未完成であっても、周囲が動いてお金は集まりますから、大丈夫です」

何が大丈夫なもんか、無責任に言いたいことばかり言いやがって……。と、その時は反感を持ったものです。ですがやがて声が聞こえなくなり、体調も元に戻った後、あらためてあの声を思い返しているうちに、だんだん気持ちが落ち着き、不安が収まっていったのです。考えてみれば、しょせんパラレルワールドに飛ばされて、拾い上げた命です。だったら目一杯やらせてもらおう、と肚（はら）をくくることができました。

この時、私に啓示を与えてくれたのは宇宙生命であり、プレアデス系の方々だと、後に知りました。彼らは、天才科学者ニコラ・テスラにも、知恵を授けていたそうです。なるほど、と思いました。テスラといえば時代を超越したかのような発想で、驚くべき発明を続けていましたが、その背景に宇宙生命の存在があったとなれば、納得できます。

私の場合はさらにその背景で、銀河連合も動いているそうです。こんな大きな存在から「やるべきだ」と言われたなら、これは邁進するべきなのでしょう。

ただ、やるからには道理を通さなくてはなりません。自分さえ儲かれば、日本さえ栄えれば……という考え方は大嫌いですし、そんなやり方は宇宙生命が許さないでしょう。

高度に知的な宇宙生命も戦争をする

宇宙生命というと、読者の皆さんは私たち地球人よりもはるかに高度な技術と、成熟した見識を持っているように思えるでしょう。実際にその通りで、私に啓示を与えてくれるプレアデスの方々は、そのメッセージや折々の振る舞いに触れるたびに、高度に理知的な生命体なのだな、という印象を抱きます。

ですがすべての宇宙生命がそうだというわけではなく、そのために不合理なことも起こります。私が知らされている範囲でいえば、過去に大規模な戦争が、数千年にわたって宇宙で繰り広げられたそうです。

戦いの原因や経緯については、詳しく知らされていません。ただ、この戦いは竜種族……ドラゴニアンと銀河連合の戦いであり、銀河連合側には地底人たちも参加したと聞いています。主戦場はまさに地球周辺であり、そのためにドラゴニアンは月に前進基地を作り、相当数のマザーシップを停泊させていたそうです。ですが長い長い戦いの結果、銀河連合が勝利し、ドラゴニアンたちは月と火星を経由して撤退していきました。

その頃、火星には「すでにアメリカとロシアの宇宙基地があった」といいますから、その戦い自体、終息したのはごく最近——といっても、ここ数十年のことですが——のことであったようです。

しかし終戦後にはドラゴニアンと地球人とのハイブリッド、さらにはヒト型爬虫類であるレプティリアンが、地球に残ることになりました。もちろん、これを放置しておいたら、地球にとって良いはずがありません。そのため銀河連合の一部、ホワイトハットと呼ばれる部隊が、ハイブリッドやレプティリアンをサーチし、密かに排除しているそうです。もちろん、世界各国の一般市民が知るところではありませんが。

なかなか相性がよろしくないＳＮＳ

個人が情報発信するとなると、今はＳＮＳという便利なものがあります。ですが私はあまりＳＮＳに好かれていないようです。あちこちで規制を受けて、まったく煩わしい限り。旭日旗の画像をアップしただけで、アカウント停止です。それで日本の邪魔をしてばかりの特定国に、面と向かって辛辣な言葉を投げたところが、コンプライアンス違反だというのです。冗談ではありません、ここは日本です。日本で、日本を讃える発言をし、そこで横槍を入れてきた者に文句を言った、それだけの話です。海外でやったら問題かもしれませんが、何が悪いんだと訴えたら、「当社はワールドワイドで事業展開していますので」と来ました。まったく面倒なことです。

だったら日本国内限定のＳＮＳサービスを作ればいいじゃないか。そう考えて周りのスタッフに相談したら、「ある程度のお金があれば、できます」というのです。確かに何をするにもお金はかかりますし、お金がなければ人にものを頼むこともできません。ですからまずは大気発電を動かして、農業に転用してお金を生まないことには。ただし大気発電と農業の場合、お金になるのにしばらく時間がかかりますから、もっと早く現金化できる手段も考えています。

本当に、これまで十数年にわたって地道に進めてきたものが、最近になって一気に回ってきたように思います。ようやくチャンスが巡ってきましたね、とスタッフや知人に言われますが、これはチャンスというよりも、必然だったのだろうと思います。最近、私の周辺で起こっている事態を見てもそうですし、宇宙生命の言葉からも、それを感じます。

私が今やっていることは、地球人の持続、継続というよりも、存亡がかかっているのです。

何を言っても信じない人たち

何かひとつの論を立てると、必ずと言っていいほど反論が起こります。最初の論が突飛に見えれば見えるほど、対抗する反論は強まり、激しくなります。私もこれまで、さんざんそうした目に遭ってきました。

「太陽は燃えておらず、見かけの姿はガス状のホログラムに過ぎない。だから太陽表面に宇宙船を着陸させることは可能だし、その点では北朝鮮が発した『我が国の宇宙船が太陽表面に着陸した』という発表は、不可能なことではない」

こんなことを言うと、まず間違いなく「何を言ってるんだ」という顔をされます。

ある論説を信じるか信じないかは、人によって違います。何でも頭から信じ込んでしまう人もいれば、何かにつけて懐疑的な人もいます。これはその人の性分にもよりますから、どうにもできないことかもしれません。

ですから、私の言うことや行うことに対する否定的な意見を、私は無視することにしています。信じない人に対しては何を言っても無駄ですし、信じないなら信じないで私は何も困りません。日本人全員に、私の考えを周知する必要などないのです。ただ今は大気発電を完成させ、私が考えていたことを、目に見える形にして多くの人々に見せてやろうと思うだけです。

大気発電によって、低コストで多くの電力を生み出し、さらに副産物まで得られるということを目の当たりにした時、これまで私を否定的に見ていた人たちは、どんな反応を示すのか。それもまた、私にとってはどうでも良いことです。

宇宙生命からの介入が増えてきている

このところ、宇宙生命からの介入が増えてきています。おおよそがプレアデスの方々ですが、中には偽者もいますので、注意が必要です。もっとも少し話を交わせば、本物か偽者かはすぐに区別できます。

本物の方々はさすがに凄いものをお持ちですよ。上空でプラズマを発生させ、それを地上に落とす実験映像を見せてもらったのですが、とてつもない高出力で、それらが狙い澄ましたように同じところに命中するんです。あれだけの出力を持つ機械は、今の地球の技術では無理でしょう。アメリカが唯一頑張っていますが、せいぜいがUFO兵器TR33－Bアストラ止まりです。

宇宙生命は、常に地球を観察しています。東日本大震災の時には複数のＵＦＯが何度も飛来していましたし、その前の二〇〇八年、岩手・宮城内陸地震の折には、崖崩れを起こした場所に巨人の骨が写っていました。これはヘリコプターによる生中継だったのですが、同じ映像が再利用された時には、映像がレタッチされ、巨人の骨は消されていました。

生物学的に言うと、環境中の酸素濃度が高いと、生物は大型化しやすいそうです。ですから恐竜の時代は、爬虫類があれだけ巨大化したのでしょう。

さて話を宇宙生命に戻しますが、地球という星は、金が効率良く採れるのだそうです。そのため、ゆくゆくは銀河系の銀行は地球、それも日本に置かれることになるそうです。そうなったら地球人が宇宙銀行の総裁になるのかと尋ねたら、私がその任を負うことになる、と言われました。たいへんな責務ですが、やらなくてはならないなら、やるしかありません。

いずれにしても、現在急ピッチで進めている大気発電については、二〇二五年までに実用化が始まっていないといけない、と宇宙生命から言われています。そんなに少ない残り時間で、できるのか……と不安を感じていたのですが、二〇二五年が近づくにつれて、私の周辺が大きく動き始めました。時間は少ないけれど、これならできる。今は確信を持っています。

また銀河連合が動いていますから、日本はこれ以上悪くなりません。銀河銀行にふさわしい状態に、上昇していくしかないのです。ことに私に関しては「とんでもない飛躍の年になる」と言われていますし、宇宙生命の旧家……彼らの社会にも、日本の藤原家のようなものがあるのでしょう、その旧家や王族までも動いていて、私と一緒に仕事をすることになるだろう、と言われています。

月にもやって来ていた宇宙生命

宇宙生命といえば、私たちにとって身近な天体である月にも、宇宙生命の痕跡が残っています。というより、月には宇宙生命そのものが存在すると私は思っています。生命が存在するのは地球だけだと考えるほうが、私にとっては不自然なのです。

日本の月周回衛星「かぐや」は、これまで数多くの月面画像を撮り続けてきました。ところが月の裏側を写した画像に、宇宙船の出入り口のようなものが写っていたのです。明らかに、月に生命体がいる証拠なのですが、この画像はアメリカによって塗りつぶされ、現在見ることはできません。

またアポロ計画においては、月面でクレーターの間に横たわる、宇宙船のようなものが写った写真があります。この話をさらに掘り進めていくと、月面には古く巨大な構造物があり、その内部にはグレイタイプの宇宙生命二体の遺体と、眠っているような女性エイリアンの遺体が発見された……という、いわゆる「月のモナリザ」のストーリーにつながっていきます。この話はネット上でも広く公開されているのですが、その概略をかいつまんでご紹介しましょう。

月面への有人宇宙飛行計画である「アポロ計画」は、当初アポロ二十号まで計画されていました。ところが膨大なコストや打ち上げに使うサターンロケットの後続生産中止などにより、アポロ一八号から二〇号までは、実施がキャンセルされました。

しかし実際には、アポロ二十号が秘密裏に打ち上げられ、おそらくは、その本来の目的であるミッションを実行していたのです。

月面に着陸したアポロ二十号の乗組員は、それ以前の月面探査で発見されていた宇宙船らしき構造物に足を踏み入れ、その内部で二人のヒト型異星人を発見しました。一人はいわゆるグレイタイプですでに死亡していたものの、もう一人は黒髪の東洋人のような顔立ちをした女性のようで、生体反応が残っていました。身長は約百六十五センチと小柄で、体毛や生殖器を持ち、グレイタイプとは異なるものの、手指は六本で肌はオレンジ色と、地球人とは明らかに異なる特徴を持っていました。

アポロ二十号のクルーは、彼女を「月のモナリザ」と名付け、驚くことに地球に持ち帰ったといわれます。もしも生命維持が可能であったなら、彼女は地球上のどこかで生きていることになります。

月のモナリザについては、ネット上にもさまざまな情報がアップされています。興味のある方は、ぜひ検索して調べてみることをお勧めします。

プレアデスの守りの中で、成すべきことを成す

実は私は、十三年前に脳を患って、虎の門病院で手術を受けたのです。それからは体に気を遣っていたのですが、これまで進めてきたプロジェクトに新たな展開が見えてきたり、これはと思う話が持ち込まれたりすると、ついワクワクワクしてしまって、体のことを忘れて一直線に邁進してしまいます。それでも今まではお酒も控え、特に異常はなかったのですが、ついに二〇二二年二月、東京・八重洲に出かけた時に、現地で小脳出血を起こしてしまいました。

駆けつけてくれた救急隊員の「聖路加病院がいいかな」という声が聞こえたので「虎の門に行ってください、以前あそこで脳の手術を受けたので」

と何とか伝え、虎の門病院に搬送してもらいました。

普通なら当然のように手術になるそうですが、私の場合は投薬で大丈夫とのことで、一週間ほど入院しただけでした。それにしても、本来なら手術しなくてはならないところを入院一週間で済むとは、我ながら凄いなと感心したものです。おそらくは、プレアデスの方々に守られたのだろうと思っていますが、それならそれで、倒れる前に何か予告なり忠告なりしてくれても良さそうなものです。それが救急搬送されて退院するまで、何の音沙汰もなしです。八重洲で倒れて意識を失って、気づいたら虎の門の病室ですから。

この経験以降、夜八時くらいになると、強烈な眠気に襲われ、まるで気を失うように眠ってしまいます。ほとんど夢も見ないでぐっすりと寝て、明け方四時頃にバチッと目が覚める。どうやら眠っている間に、脳細胞の再構築が行われているようです。自分自身がアップデートされているような感覚ですね。

ですが別の角度から考えてみると、「今回は予告も忠告もしない」というのは、銀河連合の意志だったのでしょう。あえてサービスしない、という。銀河連合が私という一個人にあまりに介入してしまうと、私自身が舞い上がってしまうかもしれませんし、周りの人間が教祖様のように祀(まつ)り上げてしまうかもしれません。私自身を世間の中で目立たせず、また有頂天になって「成すべきこと」を見失わないように、あえて干渉してこなかったのでしょう。

広大な宇宙の中では、地球という惑星はきわめてちっぽけな存在です。その星に生きる私という存在は、まさに塵のようなものでしょう。ですがプレアデスの方々は、そんな私に意識の扉を開き、進むべき道と成すべきことを示してくれました。私には、それで十分なのです。ですから私は大気発電の実用化と普及に、まずは専念すれば良いと考えています。大気発電ができ、さらに反重力までも実現できれば、きっと彼らは「よくやった」と労をねぎらってくれるでしょう。私はそれだけで満足です。

あえてそれ以上を望むとしたら、宇宙会議に出席したいですね。地球の現状と人類の動向、その良いところも悪いところも報告した上で、人類の要求と宇宙の意識をすり合わせ、落とし所を探っていく。そんなことができればいいなと思っています。もしそれが実現するのなら、会議に向かう時には、反重力エンジン搭載の宇宙船で乗り込んでいけたら、地球人の面目躍如だと思います。

あとがき

ＩＴをはじめ、現代ではあらゆる分野で優れた技術が開発されています。しかしそうした技術の多くは、金銭によって取引されます。開発に長い時間と労力、資金がかかるのですから、それも無理はありません。ですがあまりにそうした傾向が強まると、どうしても利権構造ができあがりますし、それでは文明や人間性の向上発展は見込めなくなります。まさに、現代の日本の姿そのものです。

何もしない、何もできない政治には怒りを通り越して呆れるばかりですし、企業はコンプライアンスという錦の御旗を揚げながら、その足元で不祥事を覆い隠すのに懸命です。社会がこの有様では、個人の人間性が衰えていくのも当然でしょう。

ですがそうした中でも、歪みを正し、おのれを磨き、この国を高めようと前を向く人たちは多くいるのです。そうした方々とともに、私は歩みを進めてきましたし、これからもそうするつもりです。

本書では私の手がける種々の技術や、私個人の事柄を詰め込みました。読了されて共感するところがあったなら、あなたもまた前を向き、ご自身の立つその場所で、この国を磨き、高める意志を強く持ち、実践していただきたいと思います。

日本という国が幸福であり、また世界全体、そして地球というこの星が、幸福に包まれますように。

原　日本

【著者紹介】

原 日本（はら やまと）

イーライフ総合コンサルティング代表。千葉県出身。1987年（平成2年）高校卒業と同時に、ゴルフ場の研修生になりプロゴルファーを目指すが、1991年のバブル崩壊と同時に自動車部品工場に転職　その後美術業界を初めとし、ありとあらゆる業種を経験し根本から日本の現状を憂う。その間に知り合った多数の個人技術者から技術を提供され、シン技術として世に広める。

日本発シン技術

令和 6 年 5 月 27 日　発売

著　者　原 日本
発行人　蟹江幹彦
発行所　株式会社　青林堂
〒 150-0002　東京都渋谷区渋谷 3-7-6
電話　03-5468-7769
装　幀　TSTJ.Inc
印刷所　中央精版印刷（株）
編集協力　植野徳生

Printed in Japan

ISBN 978-4-7926-0763-0